仮説・実践・検証

思考する保育

実践例15

著　増田修治
白梅学園大学教授

協力　第2府中保育園（東京都府中市）

はじめに

保育の質の向上が求められる時代です。では、質の高い保育とは、どのようなものでしょうか。私は、必要な要素として「その保育実践が確かな効果をもたらすことが検証されていること」「科学的視点や統計学などの視点から、子どもの変化・発展が明確であること」「脳科学やスポーツ科学などの新しい知見をもとに、子どもの発達を促していること」などがあると思っています。本書では、これらの要素を含む保育実践を「思考する保育」として紹介しています。

保育の質は、いっぺんに上げていくことはできません。しかし、保育者が学び続けることで、どんどん向上していきます。

私が第2府中保育園の目時寿美子園長と知り合ったのは、2017年1月です。東京都府中市で保育講演会をしたときに、目時園長から「この後、お時間があったら、第2府中保育園の懇親会にいらっしゃいませんか？」と声をかけていただきました。

その懇親会で、「私たちの園の園内研修を指導してくれませんか？」との申し出がありました。当時、すでに板橋区の公立保育園の指導をしていましたし、小学校の研修もいくつか受けていて忙しかったので、迷いました。しかし、目時園長の熱意におされて快諾しました。そうして同年の2017年4月から「園内研修講師」兼「特別顧問」として、園にかかわることになったのです。

目時園長・犬飼主任・各クラス担当保育士・看護師・栄養士など、職員全員での研修が始まりました。私は定期的に午前中から園に行き、保育の様子や子どもの姿を観察しました。昼食をはさんで午後は、職員それぞれが作成した実践レポートと動画などをもとにみんなで話し合いをしました。保育実践のレベルは、年を追うごとにみるみる上がっていきました。

実践とは、自分の足で大地を踏み固めながら、実を結ばせていくことだと思います。その記録をとるということは、自分の足どりをはっきりさせていくことですし、その足跡のたしかな集積が、いままでになかった深い思いとなり、生きている証となっていくのだと思うのです。私たちを前へ前へと歩ませていく力は、そうして強まっていくに違いないのです。

どんなによいことでも、長続きしなければ力になっていかないように、どんなにつらくても苦しくても、私たちは粘り強く歩き続けていかなくてはなりません。本当に仕事をしている人間は、誰もがそうしているのです。私たちは生きている限り、自分の意思で、自分の足で歩き続け、この手で何かをしていくことを放棄しないでいたいものです。この足がどんなにのろく、この手がどんなに重くても、時に停止することがあったにしても、決して恐れないでいようと思うのです。それは、次の前進のためのバネであり、飛躍への身構えだと思うことにしています。

第２府中保育園の職員が学び続けることができたのは、自分たちの保育実践のレベルが少しずつ上がっていくことを体感できたからだと思います。その結果、目に見えて子どもたちが成長したからだと思うのです。私にとって第２府中保育園の職員は、「思考する保育」を一緒に追求してくれる仲間です。

この本を通して「思考する保育」について、少しでも理解していただければうれしいです。そして、皆さんもぜひ、「思考する保育」を追求する仲間になってください。

近くの桜の葉が散り始め、秋の気配を感じ始めた９月の日に

増田　修治

CONTENTS

２章

思考する保育 実践例

CONTENTS

序章

なぜ「思考する保育」が必要か

保育・教育現場の実情や子どもたちの育ちの姿から、なぜいま「思考する保育」が求められているのかを解説します。

いま、保育・教育現場は？

いまだ残る、園は小学校より下の存在だという認識

保育園・幼稚園の保育者から聞いた話です。小学校の先生から、「小学校入学までに、座れるようにしてください」「前を向いて座れるようにしてください」などと言われるというのです。「プリントをうしろにまわす練習をしてください」とまで言われたと聞き、驚きました。

園は、小学校の下請けの訓練機関ではありません。幼児期にしか育てられない力を育むための大切な教育機関です。

にもかかわらず、園は小学校より下の存在だという認識はいまだ残っています。そうした認識を打ち破っていくためにも、園はすぐれた実践をおこなうべきです。そして、小学校につながる力を育て、自信をもって小学校側にバトンタッチしていくことが必要だと思います。

小学校低学年が荒れている

「幼保小の連携」が求められています。2015年1月に、国立教育政策研究所教育課程研究センターが発行した『スタートカリキュラム　スタートブック』が一つの方向性として提案され、これを参考に連携が進められています。

「安心」「成長」「自立」の３本柱をもとに、入学初期のゆったりしたカリキュラムを通して学校生活に慣れ、スムーズに学びにつなげていく連続性が大切にされています。

一方で、教育現場は混乱の途上にあります。文部科学省による「児童生徒の問題行動・不登校等生徒指導上の諸課題に関する調査」によれば、子どもの問題行動は増加の一途にあります。

〈学年別加害児童数・経年変化〉

	2006年度	2007年度	2008年度	2009年度	2010年度	2011年度	2012年度	2013年度	2014年度	2015年度	2016年度	2017年度	2018年度
6年生	1,720	1,981	2,607	2,551	2,449	2,587	2,958	3,430	3,217	4,155	4,784	5,091	6,450
5年生	869	1,309	1,419	1,614	1,622	1,672	1,969	2,509	2,649	3,318	4,097	4,806	6,353
4年生	529	834	930	1,106	1,062	1,117	1,360	1,784	1,988	2,677	3,605	4,274	5,744
3年生	316	470	544	689	710	681	1,022	1,277	1,316	2,102	2,961	3,893	4,914
2年生	238	315	336	554	501	476	653	856	1,017	1,804	2,583	3,020	4,311
1年生	123	202	227	300	287	266	394	500	621	1,098	1,720	2,356	3,335
合　計	3,795	5,111	6,063	6,814	6,631	6,799	8,356	10,356	10,808	15,154	19,750	23,440	28,049

参考：「児童生徒の問題行動・不登校等生徒指導上の諸課題に関する調査」（文部科学省）

これらは、すべて暴力行為の件数です。
2006年度と2018年度の件数を比較してみましょう。

〈学年別加害児童数・2006年度と2018年度の上昇率〉

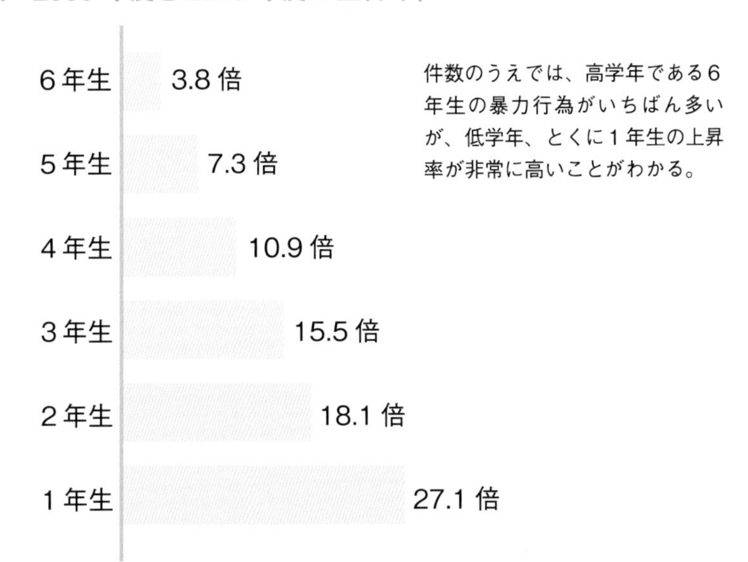

2017年度と2018年度だけでも、次のような上昇率が見られました。

〈学年別加害児童数・2017年度と2018年度の上昇率〉

少子化が進んでいるにもかかわらず、暴力件数が増えていることを考えると、幼保小の接続に新たな課題があると考えざるを得ません。

小学校1・2年生に暴力行為が広がっている理由は、どんなところにあるのでしょうか。

私は、おもに次のようなことが原因だと考えています。

（1）言葉で自分の気持ちを伝えるトレーニングが不足しているため、相手を叩いたり蹴ったりしてしまう
（2）ネガティブな感情を受け止めてもらえた経験が少ないため、不快感情をコントロールできない
（3）親も社会も「勉強のできる子」「しっかりしたよい子」を求めているため、そうではない子どもは自己肯定感が低くなり、日々のむかつきにつながっている

「心のコップ論」というのがあります。人間には一人ひとり「心のコップ」があり、そのコップに不満や鬱屈した気持ちがたまり続けている間はよい子

でいられるけれど、コップが一杯になりあふれ出した時に、突然問題行動を起こしてしまいます。今まで真面目で静かだと思っていた子が、突然問題行動を起こすのは、そういう背景があるからなのです。

それを防ぐには、大人が「子どもはいつもニコニコしていて、元気で、やる気があって、真面目でなければいけない」という思い込みを捨てること。また、「いい部分も悪い部分も含めてアナタなんだよね、それでいいんだよ」と、すべてを受け止めてあげることが必要です。

悩みの中の小学校現場

現在、小学校はたくさんの悩みを抱えています。第一に、1年生段階ですでに大きな学力差がついていることです。そのため、小学校の学習についていけない子が増加しているのです。

第二に、子どもの相対的貧困率が増加していることです。「相対的貧困」とは、世帯の所得が、その国の等価可処分所得の中央値の半分に満たない状態のことです。OECDの基準によると、相対的貧困の等価可処分所得は122万円以下、4人世帯で約250万円以下（2015年時点）の世帯を言います。厚生労働省の報告書によると、日本の子ども（17歳以下）の貧困率は13.9%（2015年）で、先進国の中でも34か国中10番目に貧困率が高くなっています。

「サッカーをしたいけれど、サッカーシューズが買えない」「ピアノを習いたいけれど、月謝が払えない」などの理由で、様々な教育的チャンスが奪われてしまいます。「食費を切り詰めるため、十分な食事がとれない」「家庭を支えるため、毎日のようにアルバイトをしている」「学習に集中する時間が取れないため、学力が保障されない」などの問題も起きています。外見からはわかりにくく、住居や衣服の状況からは貧困を認知するのがむずかしいので、支援の手を差し伸べにくいのが特徴です。そのため、「見えない貧困」と言われているのです。

子どもたちの6～7人に1人が、「相対的貧困」という状況は、見過ごすことができない問題となっています。

第三に、2012年度の文部科学省が実施した調査結果によると、支援が必要な子どもが6.5％（学習障害、ADHD、高機能自閉症等）いることも、大きな悩みになっています。支援が必要であるにもかかわらず、担任一人でがんばらなくてはならないことが教師の過重労働を招いています。

第四に、筆者が2020年3月に発表した「1998年度と2019年度の学級状況調査の比較を通して『学級がうまく機能しない状況』（いわゆる「学級崩壊」）の実態調査と克服すべき課題を考える」で、新しい子どもたちの状況として「静かな荒れ」が広がっていることを提起しています。

〈小学校における5つの課題〉

小学校1年生ですでに存在する大きな学力差

相対的貧困率の増加

支援の必要な子どもへの対応による教師の過重労働

「静かな荒れ」と呼ばれる現象

授業が成立しない激しい荒れ

「静かな荒れ」とは、とくに高学年に見られる現象です。教師がいくら質問したり、答えるように促したりしても、一切無視をするのです。表面的に荒れているわけではないものの、子どもの心の中には、学校教育や教師そのものへの不満が渦巻いている状況です。

1998年度は、学級崩壊が大きな問題となりましたが、教員に本音をぶつけることができただけ、まだマシだったと言えるかもしれません。現在の子どもは本音を言えず、「『よい子』としてふるまう子」が増えています。そのため、そのストレスを「いじめ」や「学校で禁止されたものを持ってくる」といった行為で解消しているのです。

筆者が書籍にまとめた岩手県矢巾町の「いじめ自殺」の中で見えてきたのは、被害者を挑発し手を出させることで「いじめではなくて、ケンカである」とカモフラージュしたり、「いじめではなく、いじりだよ」と言う姿でした。こうしたことで子どものいじめを見逃し、気がついた時には手遅れになっているということが全国に広がっています。このようなことも、教師にとって大きな悩みやストレスにつながっているのです。

第五に、授業が成立しないという激しい荒れも小学校で起きており、若い教員が辞職するということも大きな問題となっています。

このままでは、公教育が崩壊するだろうと考えています。だからこそ小学校前の乳幼児教育で、どのように子どもを育てていくのかが、大事なポイントになっていると考えているのです。

これからの社会と、目指す子どもの姿

AIの進歩によって社会が変わる

いま、AIの急激な進歩によって社会は大きく変わりつつあります。オックスフォード大学の研究によると、「あと10年で約47%の仕事が自動化」されるそうです。その研究では「消える職業」「なくなる仕事」が一覧化されていました。「バーテンダーの仕事が77%の確率でなくなる」ほか、「スポーツの審判員」「レジ係」「データ入力係」「集金人」なども、なくなる職業として名前があげられていました。一方、なくならない仕事としては、「人間相手の仕事（教師、保育士）」や「創造性が必要な仕事」があげられていました。

実際、ここ最近のAIロボットの進歩は、目を見張るものがあります。例えば、アメリカのBoston Dynamics社のロボットは、雪道を歩いたり、バク転をしたり、片足で障害物を連続で飛び越えたりすることができます。本当に驚きます。人間のむずかしい動きがほとんどできるようになっているのです。

こうした時代にあって、どのような保育や教育が必要なのか。変わってはいけないものと変わらなくてはいけないものは何かを考えていくことが必要なのです。とくに乳幼児期に理数系の基礎的能力を育てていくことは、急務であると私は考えます。

これからの子どもが身につけたい力とは?

急激に進むAI化。AIに飲み込まれないためには、どのような力を子どもたちに育てていく必要があるでしょうか。

まず大切なのは、「他者と折り合いをつける力」と「すぐれたコミュニケーション能力」です。AI化によって生み出された技術や発見をどのように使えばよいか考えるには、グループや集団での話し合いが必要だと予想されます。アイデアを出し合い、集団で磨いていくという作業が必要になってくるのです。

互いのよさを認め合い、よりよいものを作るためには「他者と折り合いをつける力」「すぐれたコミュニケーション能力」が求められます。

「幼児期の終わりまでに育ってほしい10の姿」

平成30年度4月、文部科学省の「幼稚園教育要領」、厚生労働省の「保育所保育指針」、内閣府の「幼保連携型認定こども園 教育・保育要領」が改定されました。

そこに共通して示されているのが、「幼児期の終わりまでに育ってほしい10の姿」です。知識や技能の基礎、思考力や判断力、表現力の基礎を習得するとともに、学びに向かう力や人間力を養うねらいが込められています。

〈幼児期の終わりまでに育ってほしい10の姿〉

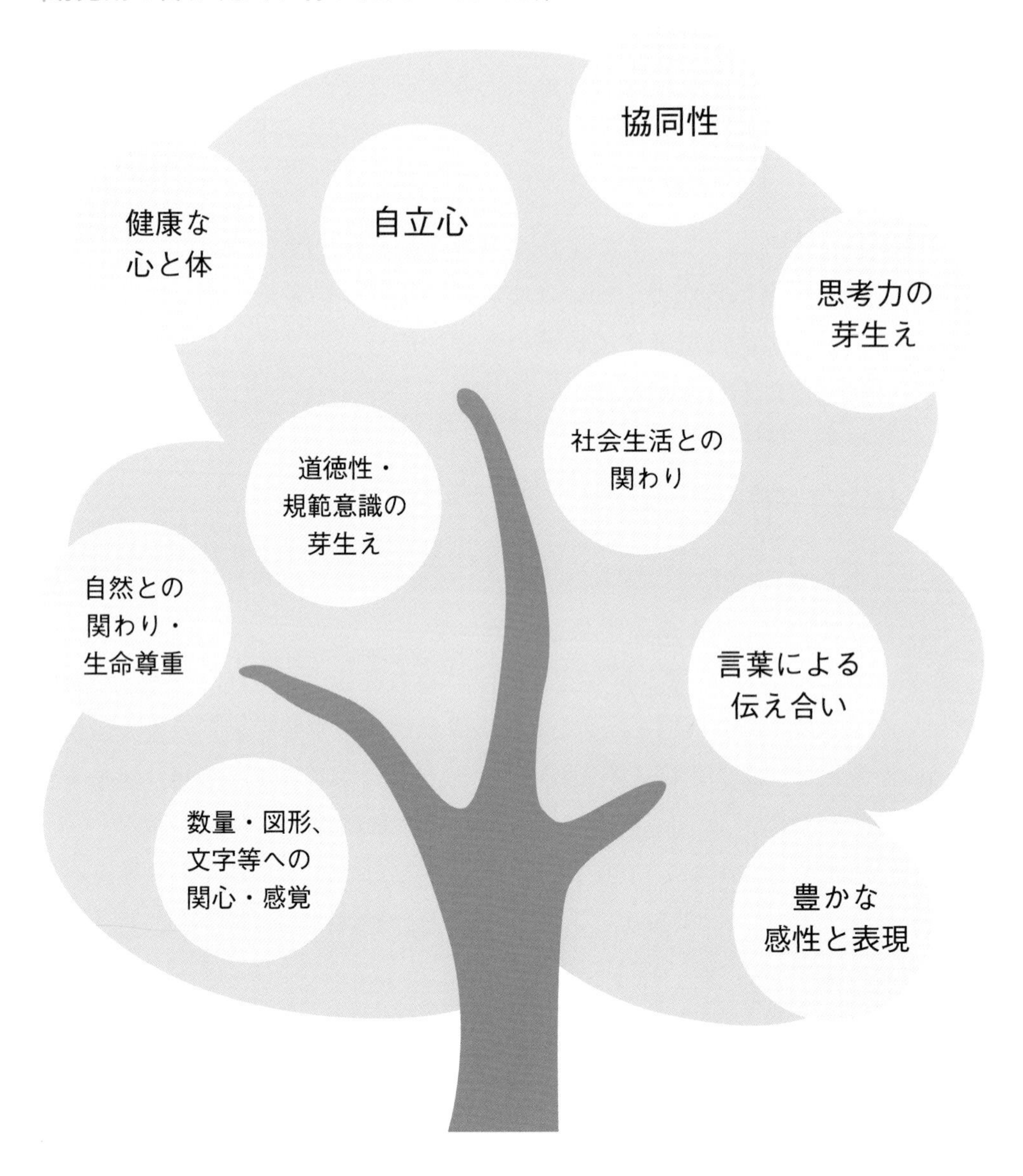

いずれの項目も達成を求められる課題ではありません。あくまでも「育ってほしい方向性」です。「10の姿」は、保育者がきびしく教え込むようなものではなく、園での生活や遊びを通してしぜんに身につけていくものとして考えられているのです。

元白梅学園大学学長の汐見稔幸先生が「10の姿」をわかりやすく紹介しています。それによると、「10の姿」は大きく3つのジャンルに分けられます。

〈10の姿の3つのジャンル〉

体を使う力

「健康な心と体」「自然との関わり・生命尊重」「豊かな感性と表現」

体や手先をうまく使う力、ものごとを五感で感じとる力に加え、自分の体にとどまらず自然や生命の力を感じとる力もこれに含む。

考える（頭を使う）力

「思考力の芽生え」「数量や図形、標識や文字などへの関心・感覚」

子ども自身が試行錯誤しながらじっくり考える力。ただ数や文字を覚えるのではなく、まずは興味をもち、必要だと思うことが基本となる。

人と関わる力

「協同性」「道徳性・規範意識の芽生え」「社会生活との関わり」「言葉による伝え合い」

人と直接関わって力を合わせたり、よい関係をつくるためにルールを守ったりする力。対人関係の基本となる。

これらの3つの力を支えるために大切なのが「自立心」です。主体的に「やりたい」と思う気持ちが、さまざまな力を身につけるための土台になります。

求められる「思考する保育」

「10の姿」に向かうための保育

「10の姿」は、子どもが生活や遊びを通してしぜんに身につけるものだと言っても、何も働きかけなくてよいということではありません。それでよいなら、「10の姿」などということを声高に叫ぶ必要はないはずです。大切なのは、「10の姿」がしぜんと身につくように計画を立てたり、子どもたちに適切なアプローチをしたりしていくことです。

保育とは、すべての子どもの力を伸ばし、発達を保証するものであるべきです。ただ漠然と集団で保育をしていても、子どもは育ちません。子ども一人ひとりやその状況に合わせて計画を立て、アプローチしていく必要があります。

そこで求められるのが、本書で紹介する「思考する保育」です。

例を出して説明しましょう。

２歳児クラスのＡくんは、靴下がはけませんでした。

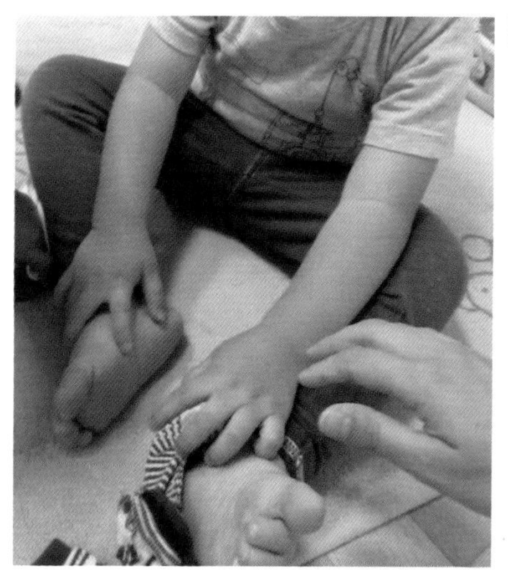

【7月の様子】

【10月の様子】

左の写真は、7月の様子です。靴下の口を片手で開いて引っ張るので、靴下がはけず、途中であきらめてしまいます。
右の写真は10月の写真です。靴下の入り口を両手で引っ張って、最後まではけるようになっています。

私は、「靴下がはけないのには、その子なりのわけがあるはずです。靴下をはくためには体のどんな力が必要か考え、どこでつまずいているのかを探ってみてください」と言いました。
すると、担当の保育者は、靴下をはくための動作を分解し、どんな力が必要かを考えました。そして、それぞれの力を育てるための活動を保育に取り入れました。その結果、Aくんは靴下がはけるようになりました。

〈靴下をはくために必要な力と、それぞれの力を育てる活動〉

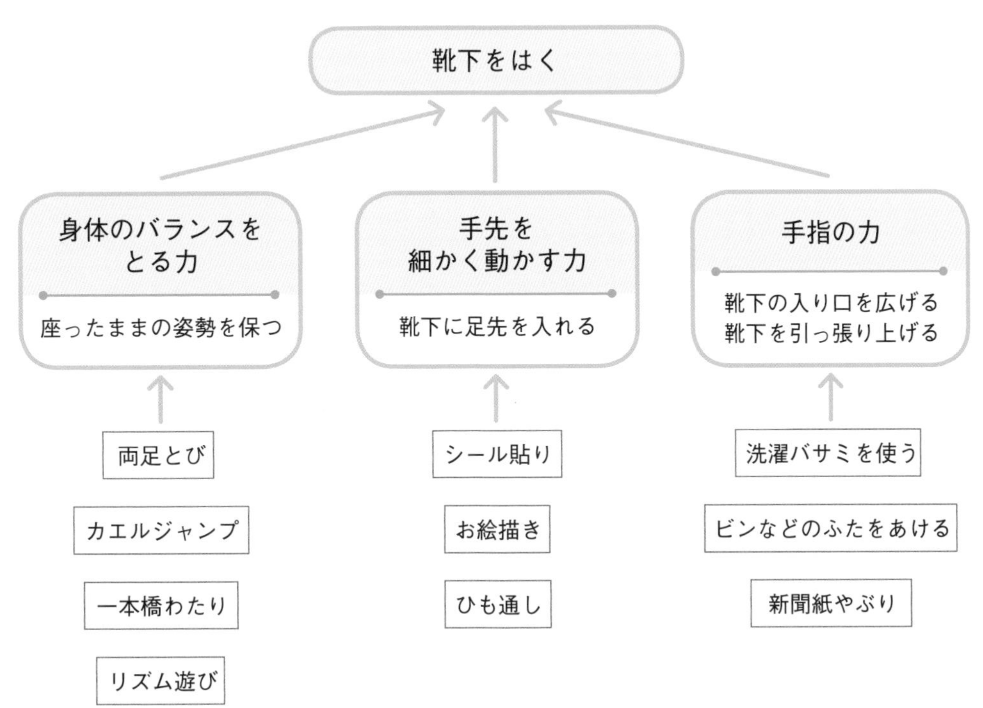

子どもに何かを習得させたい時は、「がんばれ」と声をかけたり、ひたすら練習させるだけではダメです。動作を分解し、どの部分ができないのか考え、その部分を育てていくことが大切です。

ちなみに、A くんが靴下をはけるようにするために、保育者は一つひとつの動作に擬音をつけて、わかりやすく指導しました。

【靴下を広げる】

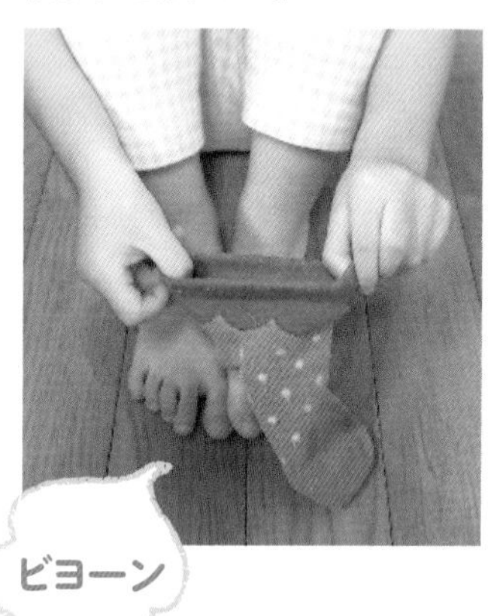

【靴下を広げて足先を入れる】

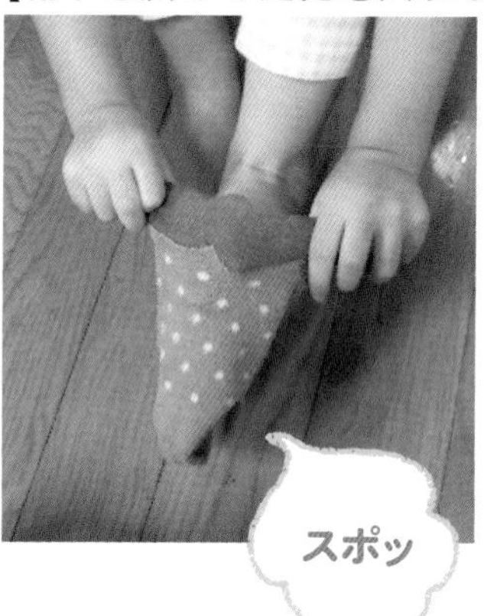

【靴下を引っ張り上げる】

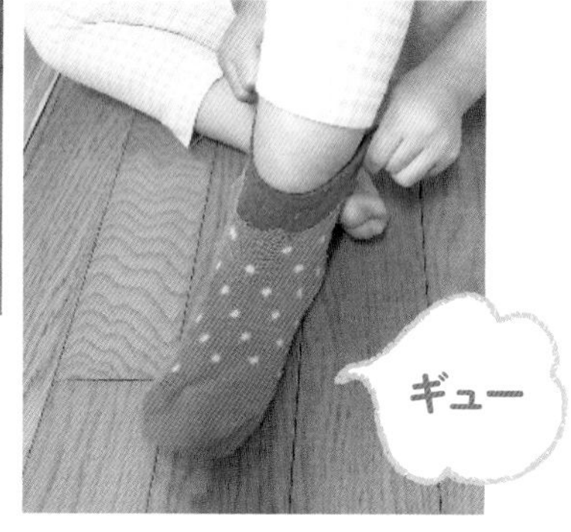

子どもたちの成長･発達は、一様ではありません。だからこそ「できないこと」を子どものせいにしたり、あきらめるのではなく、きちんと分析して不足している力を育てられるように考えることが大切です。それが「思考する保育」です。

また、集団で同じことをするだけではなく、一人ひとりの子どもにあった処方箋を考えていくことも求められます。私はそれを「オーダーメイド保育」と呼んでいます。病院でも、一人ひとりの遺伝子に合わせた薬を調合するなどの「オーダーメイド医療」が追求されています。保育の世界でも、そのような方向性を模索するべきではないでしょうか。

これからの保育の姿を考える

ここにきて脳科学やスポーツ科学などが大きく発展し、いままでわからなかったこともわかるようになってきました。

例えば、ロンドン大学のカースティン氏らは、2019年12月に『Neurology（神経学）』において、「8歳時点に到達した認知機能が70歳の時点での認知能力と関連すること」を発表しました。

また、これまでは「プログラミングは数学力に通じる」と言われていました。しかし、アメリカのワシントン大学のシャンテルS.プラット氏らは、それを否定する「言語の適性をプログラミング言語の個人差に関連づける」という論文を、2020年3月の『Nature』に発表したのです。その論文では、「プログラム言語の成績ともっとも相関関係があったのは、意外にも言語能力であった」と結論づけているのです。

そうした最新の知見から遠い世界にあるのが、保育の世界のように思うことがあります。子どもの成長・発達に何が必要か根拠をもたず、経験や感覚で保育をおこなっていることがまだまだ多いのが現状です。

しかし、これからの保育は、思考するものでなければなりません。「小学校の学びの基礎を創り、子どもの成長・発達に最新の知見を生かし、科学的根拠（エビデンス）のある保育をおこなっていくことが大切なのです。

最近は、保護者の意識も高くなっており、「子どもをかわいがり、大事にしてもらいたい」という思いは当然として、さらに「質の高い保育」を求めています。「どうしてこの保育活動をしているのですか？」「この取り組みには、どのような意味があるのですか？」といった問いにきちんと答えられる「accountability」（説明責任）が園や保育者に求められる時代になっているのです。

小学校での豊かな学びを展開していくことができる子どもに育てていくことも、AI時代には必要になります。

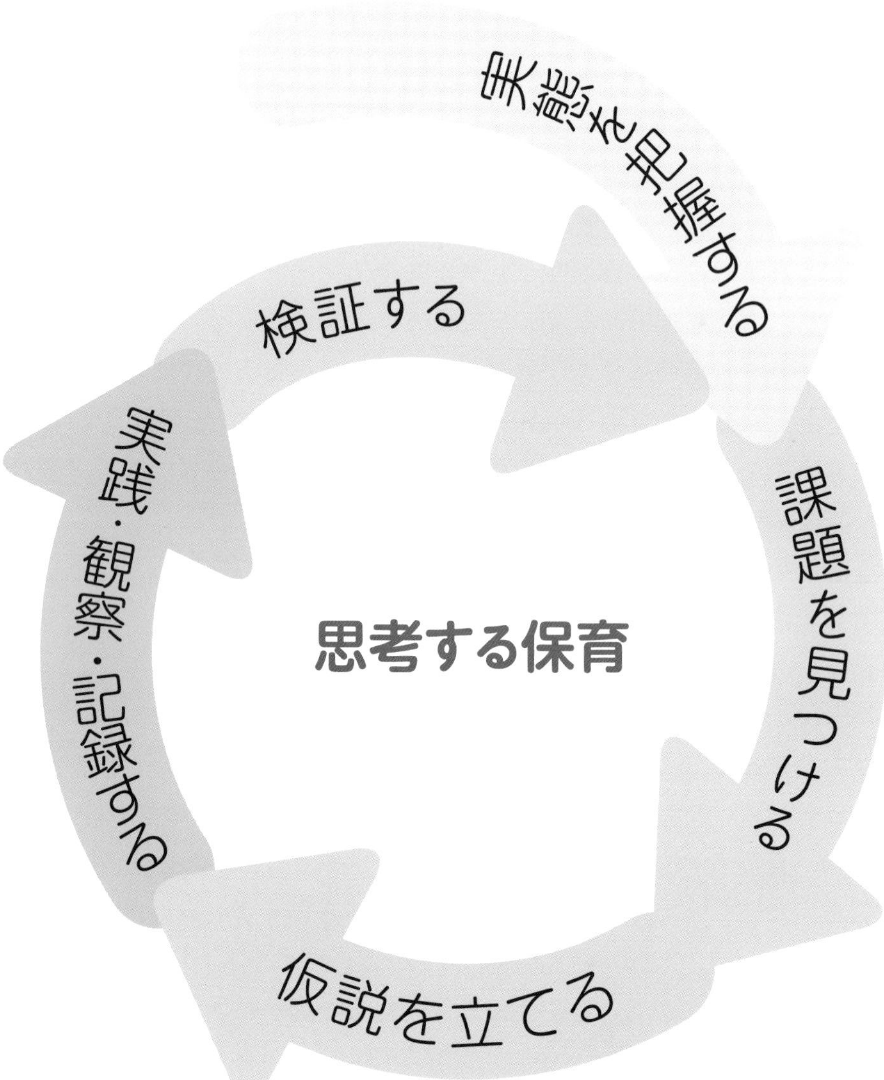

思考する保育

実態を把握する

課題を見つける

仮説を立てる

実践・観察・記録する

検証する

1章

思考する保育

実践の手順とポイント

「思考する保育」は、実態を把握するところから始め、実践し、結果を検証して次につなげるところまで、ステップをふんでおこなうものです。
実践を追いながら、増田先生が解説します。

思考する保育とは

「思考する保育」とは、仮説を立て、実践し検証するという流れにのっとっておこなう保育です。ただ漠然と「こんな遊びをしたら楽しそう」とか「こんな経験をさせたら力がつきそう」というのではなく、子どもの育ってほしい姿に向けて、いまここにいる子どもたちにどう働きかけたらよいのかを考えて取り組みます。そして、実践をふり返り、その結果、子どもにどのような力が育ったのかを見極めます。それをふまえて、次の保育につなげていきます。

「思考する保育」は、子どものいまの姿をとらえ、そこからどのようにアプローチしていくか、段階をふんで進めていきます。ここでは、STEP 1～6として紹介します。

STEP 1 実態を把握する

子どもの動きや表情、言葉などから、子どものいまの姿をとらえます。「記録をとる」「写真を撮る」などを通して、保育者同士で子どもの姿を言語化し、共有しましょう。

STEP 2 課題を見つける

とらえた子どもの姿から、子どもの「育ってほしい姿」に向けての課題を、保育者同士で話し合って見つけます。前提として、子どもの発達の道筋を理解しておくことが必要です。

STEP 3
仮説を立てる

発達の課題を克服するために、どのようなアプローチが必要か考えます。いろいろな保育活動のアイデアを出し合い、保育者同士で検討しましょう。

STEP 4
実践・観察・記録する

仮説をもとに、保育活動をおこないます。そこにあらわれた子どもの姿をよく観察し、記録をとります。必要に応じて数字などのデータを残しておくことも大切です。

STEP 5
検証する

実践の結果を分析し、検証します。保育活動の前後で、子どもにどのような変化が見られたか、保育者同士で話し合います。それにより、子どもの育ちが見えてきます。

STEP 6
次につなげる

子どもの育ちは、ここで終わりということはありません。さらに子どもを伸ばしていくためにはどうしたらよいかを考え、次の保育につなげていくことが大切です。その時点での子どもの姿をとらえ、STEP 1からの作業を何度もくり返すことで、スパイラルを描きながら保育の質は向上していきます。

思考する保育 実践例

**ここでは、２つの実践例をもとに、
STEP １～６までを増田先生のコメントとともに
具体的に解説していきます。**

思考力を高め、言葉を引き出す「3つのさいころ」

4歳児クラス

思い思いの動作をして楽しむ子どもたち

STEP 1 実態を把握する

　ある日の保育で「だるまさんが」の絵本をもとに簡易的な舞台とだるまさんのお面を作り、「わたしがだるまさんだったら」遊びをやってみた。保育者が「だるまさんが」と言い、子どもがそれぞれ「転んだ」とか「うたった」など好きな動作をするというものである。その結果、次のような子どもの姿が見られた。

- 「やってみたい」と手を上げる子どもがいる。
- 前に出ると、恥ずかしくなってしまう。
- 自分が経験したことを「だるまさん」に置き換えて表現していた。
- ほかの子を見ながら「あの子は何を言うのかな」とワクワクしている。

別のものになりきることで、引っ込み思案の子も発表できるようになる。これを「なりきり効果」とか「ペルソナ（仮面）効果」という。

活発な子が多いが、発達の場になると自分の気持ちをうまく伝えられない子が多い

STEP 2 課題を見つける

「わたしがだるまさんだったら」で見られた子どもの姿から、次のような保育者の気づきがあった。

- ふだん活発な子どもたちなのに、「自分」を表現することが苦手なのはなぜだろう。
- もっと表現する楽しさを知ってほしい。
- 言葉を引き出したい。

言葉にできなくても、表情で表せたらOKとする。例えば「笑った」時に、ニコニコとした表情でもよしとする。大切なのは、楽しい雰囲気をつくり出すこと。

課題 自分の思いを自由に表現できるようになってほしい

STEP 3 仮説を立てる

自分の思いを自由に表現できるよう、保育活動のアイデアを出し合った。すると、次のような意見が出てきた。

みんなの前でおこなうことが恥ずかしい子もいる

- 「わたしがだるまさんだったら」遊びでは、なりきることで、動作表現がしやすかった。
- 「だるまさんが」のフレーズをみんなで言ったことで一体感が生まれていた。
- 緊張してしまう子には、「絵本と同じことをしてもいいよ」と話したことで安心できていた。

保育者や友だちと一緒にやってもよい。徐々に一人で表現できるように促す。

仮説 表現遊びが課題克服につながるのではないか

実践・観察・記録する

「さいころ」を使った表現遊びを考案し、実践してみた。

〈手順〉

- ◆ ３つのさいころを作り、それぞれの目に「いつ」「誰が」「何をした」を記入。
- ◆ ３人の子どもが「せーの」でさいころを転がし、文章をつくって遊ぶ。

青、赤、黄のサイコロを用意し、青が「いつ」、赤が「誰が」、黄を「何をした」にして、言葉と絵を描く。「プールの時」「だるまさんが」「おならした」などという文章ができるので、子どもたちは大喜びする。

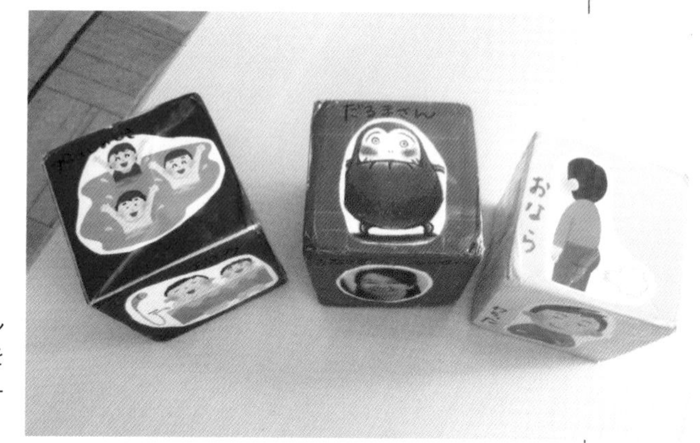

子どもが転がしやすい大きさを意識し、段ボールで製作

「いつ」「誰が」「何をした」の枠を段ボールで作る

「せーの」で３つのサイコロををいっぺんに転がす

小学校に入って、話すことはできるが文章を書けない子がたくさんいる。このことは、ひらがなを教えるだけでは解決しない。この実践例のように、文章構造のしくみを知る経験が大切。

サイコロの出た目が手前に来るように枠にはめる

実践を観察すると、次のような子どもの姿が見られた。

- 偶然できた文章をおもしろいと感じている。
- 転がすのではなく、好きな言葉を自分たちで選んで、文章をつくり始めた。

文章構造のしくみがわかると、自分たちで文章をつくることができるようになる。

- ある子どもが並べたさいころのうしろにまわり、そこにも文章が生まれていることに気づいた。

サイコロは6面あるので、裏側にも文章ができあがる。こうした発見で、文章づくりの楽しさを知ることが大切。

Masuda's voice

遊びながら文章構造のしくみを学ぶことで、子ども自身の文章体系が整理され、他者に伝わる言い方ができるようになる。

STEP 5 検証する

「さいころ」を使った表現遊びをおこなったことで、子どもにどんな変化が見られたか、保育者同士で話し合った。その結果、次のような意見が出た。

- 「私はこう思っている」「こんなふうに言ってもらったらうれしい」ということが言えるようになった。
- 友だちもいろいろな気持ち（考え）があることに気づき、友だちの気持ちを知りたいという思いが出てきた。
- 自分の知っていることを伝えたいという意欲が高まった。

ままごとなどふだんの遊びでも、自分の気持ちがより豊かに言えるようになった

10の姿につながる育ちが見られた。

思考力の芽生え
・言葉と言葉をつなげて文章で話す力を獲得した。

言葉による伝え合い
・自分の思いを相手に伝えられるようになった。
・友だちの発表を聞いて、共感することができるようになった。

自立心
・主体的に「やりたい」という思う気持ちが生まれた。

協同性
・ルールを守っておこなうことができた。
・友だちと一緒に関わり、力を合わせることができた。

Masuda's voice
人は言葉で思考し、言葉でつながる。自立心も協同性も言語能力があってこそ伸びていく。

STEP 6 次につなげる

さいころ遊びが定着したので、さいころの図案を1文字から6文字までのくだものの絵にし、数字とともに表記。言葉から数字への興味につなげることにした。

Masuda's voice
数の認識や比較ができるようになる。

赤ちゃんにとって心地よい音は?

マラカスを手作り

0歳児クラス

STEP 1 実態を把握する

子どもたちは園で、いろいろな音に囲まれて過ごしている。家庭を出て初めての外の世界となる保育園で、新たな音にふれている。午睡はいちばん子どもがリラックスできる状態であるべきだが、寝かしつけの時や睡眠中に様々な音が妨害となることが多い。

- 保育者の声で、安心した表情で笑う。
- 風、水の音で、心地よさを感じている。
- 掃除機の音で動きを止め、音が鳴っている方向を探す。
- 扉の開け閉めの音で動きを止めて、扉の方を注意深く見る。
- チャイムの音で、泣いていた子どもが泣き止む。

Masuda's voice

子どもはたくさんの音に囲まれて生活している。そうした音を区別する能力を育てたり、心地よい音を探してあげることが大切。

実態 「掃除機の音」「保育者の歌声」の音に反応し、子どもが泣き止むことがある

課題を見つける

日ごろの子どもの姿から、次のような保育者の気づきがあった。

- 子どもは十人十色であり、音に対して敏感な子や緊張が強い子がいる。
- 園生活に慣れていない子がいる。
- 保育者との関係性にまだ不安がある子がいる。

保育者の歌声に安心する理由は、音量の域が比較的狭いことにあるのかもしれない。こうした科学的な視点をもつことが大切。

子どもの気持ちを安定させ、コミュニケーション力や発語につなげたい

仮説を立てる

子どもにとって「掃除機の音」「保育者の歌声」になぜ反応が大きいのか、保育者同士で意見を出し合った。

- 「掃除機の音」は子宮内血流音に似ていると言われている。「保育者の歌声」は胎内で聞いていた母親の声につながるのかもしれない。
- ガサガサ、ザーザーとした音と、穏やかな声が子どもの気持ちを安定させるのかもしれない。

※ column「音についての科学的考察」（P.38）参照。

Masuda's voice

0歳9か月の乳児の中に、レジ袋のガサガサという音で泣き止む子がいる。それは、胎児であったころの記憶が残っているから。こうした子も1歳を過ぎると、レジ袋の音では泣き止まなくなる。雑音として認識するようになるからだと思われる。

子どもの好きな音を保育に取り入れることで、子どもの気持ちは安定するのではないか

実践・観察・記録する

子どもがどのような音を好むのか考えて、楽器を手作りする。

① ミルク缶の太鼓
② プラスチックのゴミ箱で作った太鼓
③ ペットボトルにビーズ、鈴、おはじき、つまようじなどを入れたマラカス

この中でいちばん反応がよかったのが、ビーズのマラカスだった。そこで、ビーズのマラカスを使ってリズム遊びをしてみた。

〈手順〉

◆ 子どもが聞いてなじんでいる「フルフルフルーツ」と「ぼくのミックスジュース」の２曲を流した。
◆ マラカスを手にもって体を動かした。

子どもはリズミカルな音楽を好む。短い音で構成されている音楽は、乗りやすい。

いちばん左のマラカスが反応のよかったビーズ入り

実験を観察したところ、警戒心が強い子も、みんな一緒にとても楽しそうに踊った。その姿を分析した。

- 先生が楽しそうに踊る姿を見て「踊ってみたい」という気持ちが出てきた。
- 先生がニコニコしているのを見て、うれしくなり、思わず喃語が出た。
- マラカスは手ににぎりやすく、音が出るのが楽しくなった。

Masuda's voice

①大好きな曲
②保育者との信頼関係
③安心できる場所
この3つが揃うことで、子どもは「のびのびと表現する楽しさ」「人と関わる楽しさ」を感じることができる。

音楽に合わせてマラカスをふる

お尻をふって踊り出した

Masuda's voice

担当の保育者だけでなく、ほかの保育者も関わることで、他者を受け入れ、自己肯定感が育っていく。

検証する

手作りマラカスを使ったリズム遊びで、クラスの子どもにどんな変化が見られたか、保育者同士で話し合った。その結果、次のような意見が出た。

- 子どもはよく知っている曲が好きであり、安心する。
- 手作りマラカスの素朴な音と、それを振ることで音が出ることが子どもにはとても楽しく感じられるようだ。
- 何よりも子どもが好むのは、愛着関係が結ばれた大人の肉声。
- 大好きな先生、友だちと楽しく体を動かすことで、気持ちが高揚し、その場所への安心感が高まる。
- 信頼する大人のまなざしがあると、子どもはリラックスできる。そして、人とつながる楽しさを感じるようになる。

「10の姿」につながる育ちが見られた。

健康な心と体
・生活の中で充実感をもって自分のやりたいことに向かって心と体を十分に動かし、見通しをもって行動するようになった。

・あたたかい雰囲気の中、自分の感情を安心して出すことができるようになった。

マラカスを振るリズムが音楽に合っていなくても気にしない。まずは音楽と一緒にマラカスを振ったり、体を動かしたりする楽しさを十分に味わう。

子どもの発達に合わせて活動を考えるだけでなく、データをとりながら自分の実践の方向性を考えていくことも大切。

・自分が楽しい、好きだと思ったことを存分に味わうことができた。

大好きな曲で、保育者が楽しそうに踊っているのを見て、自分も踊りたいと思うようになる。その姿をニコニコと見つめると、子どもは保育者の表情から自分が認められていることを読み取り、安心して自分を表現できるようになる。喃語もたくさん生まれる。こうした働きかけを通してノンバーバルコミュニケーション力を育てていくことが大切。

次につなげる

- 安心できる場所や人と一緒に、自分の好きなことに積極的に挑戦していく。
- 思いを受け止めてくれる人に代弁してもらいながら、自分の感情を言葉にしていく。
- 誰かと一緒にやることが楽しいと感じられるよう、まわりの人と楽しさを共有していく。

column

「音」についての科学的考察

子どもを取り巻く環境のうち「音」に注目します。どんな音量、高さの音が子どもにとって心地よいのでしょう。

音量について

	MAX	MIN
掃除機	81.2dB	39.7dB
チャイム	77.0dB	38.4dB
段ボール太鼓	81.2dB	39.7dB
シンバル	96.6dB	40.7dB
保育者の歌声	74.8dB	39.2dB

保育者の歌声：音量の差があまりない

音量の幅が狭い  **心地よさ**  **安心につながる**

音の高さについて

2000 ～ 4000Hz ⇒耳の中で増幅される

赤ちゃんの泣き声

2000Hz 以上  **緊急性を伝える**

赤ちゃんの笑い声
せせらぎ

2000Hz 以下  **癒し・心地よさを伝える**

2章

思考する保育

実践例

クラス活動、食育、一時保育などでおこなった実践記録です。「思考する保育」実践の参考にしてください。

practice 1

子どもの反応を引き出す
「不思議なポケット」
【0歳児クラス】

STEP 1 実態を把握する

・「不思議なポケット」の歌をうたいながら、ポケットからビスケットを出して見せるカードシアターをおこなった。歌に耳を傾けたり、保育者の手元を集中して見たり、一緒に手をたたく子どもがいる一方で、ほかのことに関心が強い子どもがいる。

STEP 2 課題を見つける

・興味をもてない子どもは楽しさを感じていないのか。それとも園がまだリラックスできる場所になっていないのか。
・どの子どもも安心して自分を出せるようにしていきたい。

STEP 3 仮説を立てる

・子どもたちが興味のあるもの、好きなものにたくさんふれることでもっと子どもの反応を引き出すことができるのではないか。

STEP 4 実践・観察・記録する

「不思議なポケット」のカードシアターをおこなった。

〈手順〉

◆ 子どもたちがいま、興味をもっている動物・食べ物、子どもたちや保護者の顔などをカードにする。

◆「不思議なポケット」の歌詞の「ビスケット」の部分をカードに合わせて変えながら、保育者がポケットからカードを取り出す。

手作りの「不思議なポケット」

子どもたちが興味があるものをカードに

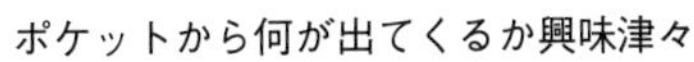

ポケットから何が出てくるか興味津々

出てくるカードによって、子どもの姿に違いがあった。

てんとう虫、ライオンのカードが出てくると？

- 不思議そうにじっと見る子や、「てんてん」とてんとう虫を指差しながら教える姿、「わー」と声を上げ両手を振って喜ぶ姿があった。
- ライオンのカードが出た時には、「ライオン」と言ったり、ふだんライオンの絵本をよくみているＡくん（１歳４か月）は、目を大きくして驚いた様子で立ち上がり、ライオンのカードが出るたび「ガオー」と言っていた。

バナナのカードが出てくると?

● バナナのカードが出てきた時に「バナナ」と言う子はBちゃん(1歳6か月)のみだったが、Cちゃん(1歳4か月)は、口を動かして食べるまねをして自分なりのバナナの表現をしていた。

自分の顔のカードが出てくると?

● いちばん反応がよかった。自分の顔のカードが出てくると、Dくん(1歳7か月)とBちゃん(1歳6か月)は、自分の名前を言っていた。
● 言葉は出ないが、自分の顔のカードが出ると「あ!」と反応したり、指差したりする子がいた。
● Eちゃん(1歳3か月)は、自ら前に出てきて指差しをした。

● Fちゃん(1歳5か月)の顔のカードが出てくると、Gちゃん(1歳4か月)は、Fちゃんの顔をのぞきこんでいた。

実践を続けているうちに、子どもの姿に変化が見られた。

● しだいに子どもたちもポケットを叩いてみたくなり、前に近づいてポケットに手を伸ばそうとしていた。
● 保育者が子どもたちの前にポケットを出すと、「ポン」とたたくようになった。

- 保育者がポケットからその子の顔のカードを出すと、じっと見たり、ほかの子がポケットをたたく様子や何が出るかを見る姿があった。
- Hちゃん（1歳1か月）は、ポケットをたたくことよりも、ポケットの中が気になるようでのぞいていた。

STEP5 検証する

「不思議なポケット」の実践を通して気づいたことを保育者同士で話し合った。その結果、次のような意見が出た。

- 自分たちの知っているものや好きなもののカードを見ると、言葉を発したり、言葉の出ない子でも指差しや喃語、身ぶりで反応し、保育者に伝えようとしていた。
- 実践をおこなううちに、しだいに「ポケットをたたくと次は何が出てくるかな」という気持ちがわき、集中する時間が増えてきた。
- 自分の顔のカードに対する反応がいちばん強かった。カードを見て、自分の名前を言ったりする姿から、自分に対する認識の高まりを感じた。

STEP6 次につなげる

実践を通して、大好きなもの、大好きな人を認識できるようになり、楽しい時間が増えていった。それが子どもたちの安心感につながり、言葉が増えていくことが再認識できた。さらに多くのアプローチをおこなったところ、保育者の読む絵本が大好きな子どもや二語文を交えながら話すことが出てきた。今後も安心感のある環境の中で、言葉を育んでいきたい。

practice 2

言葉と表情を豊かにする

「ベロベロおばけ」「表情まねっこ遊び」

【1歳児クラス】

STEP 1 実態を把握する

・月齢差もあり、クラスの中で2語文を話すなど言葉巧みな子、身ぶりで伝えようとする子が混在している。
・発達段階上、物の取り合いなどのトラブルが多いが、その際、言葉が出ない子が相手の子をかみついたりひっかいたりしてしまうことがある。

STEP 2 課題を見つける

・子どもが自分の思いを相手に伝えられるようにしたい。そのためには、言葉だけでなく表情も必要。
・言葉と表情を豊かにし、子ども同士のコミュニケーションを円滑にしたい。

STEP 3 仮説を立てる

・口のまわりの筋力や表情筋を鍛えることで、発語がスムーズになり表情が豊かになるのではないか。

STEP 4 実践・観察・記録する

口のまわりの筋肉や表情筋を鍛える遊びを考え、毎日、活動の節目に実践した。

「ベロベロおばけ」

〈手順〉

◆ 段ボールに顔を描き、口の部分に穴をあけ、赤い不織布を袋状にして舌の部分にする。
◆ 裏側から保育者が手を差し込んで舌を動かす。
◆「ベロベロおばけ」の舌の動きに合わせて、保育者と子どもが舌を動かす。

赤い舌を上下左右に動かす

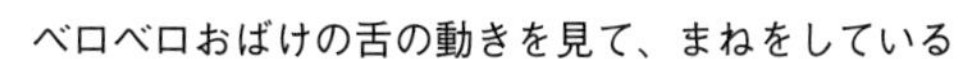

ベロベロおばけの舌の動きを見て、まねをしている

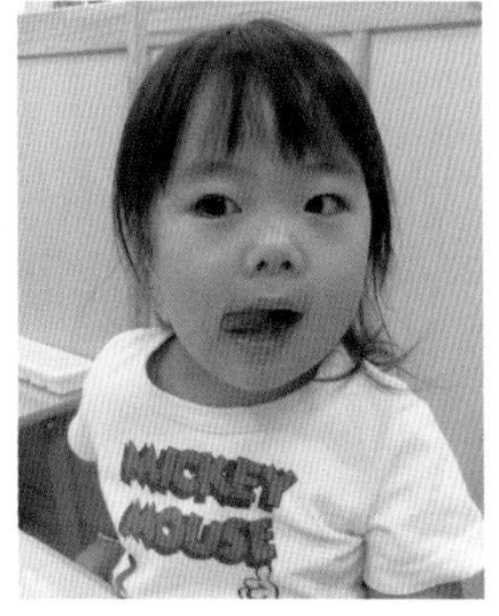

実践を観察すると、次のような子どもの姿が見られた。

- 日ごろ表情が乏しい子は、舌を動かしづらい姿があった。
- よく食べる子は、スムーズに舌を動かす姿があった。
- 舌が動く子は、発語がスムーズである。

「表情まねっこ遊び」で、表情を変える練習をする。

「表情まねっこ遊び」

〈手順〉

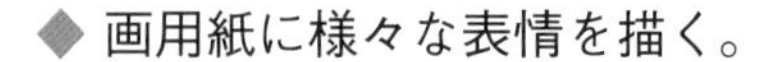

◆ 画用紙に様々な表情を描く。
◆ カラー工作用紙、フィルター（クリアファイル等）を使って、引っ張り出すと表情が見えるしかけを作る。
◆ 好きな色を選んで中身を引っ張り出すと、いろいろな表情が出てくる。
◆ 引っ張ると表情が変わるボードを見て、出てきた表情と同じ顔をする。

実践を観察すると、次のような子どもの姿が見られた。

- 顔が出てくるとすぐに同じ表情をするようになった。
- ノンバーバルコミュニケーション(注)につながった。
- 先読みや見通す力がついてきた。

（注）ノンバーバルコミュニケーションとは、言葉に頼らないコミュニケーションのこと。

STEP5 検証する

子どもそれぞれの口のまわりの筋力を調べるために、実践前と後に、息を吹く力と口の開き具合を測った。結果を比較し、保育者同士、気づいたことを話し合った。

測定は、以下の4つの方法でおこなった。

◆ 風車を回す。
◆ ラッパを吹く。

◆ 息を吹いてティッシュペーパーを動かす。
◆ 口をできるだけ大きくあける。

6月 （15人）

	風車	ラッパ	ティッシュ	大きな口
◎よくできた	1人	0人	0人	2人
○できた	3人	2人	10人	6人
△少しできた	3人	2人	1人	3人
×できない	7人	11人	2人	0人
？測定不能	1人	0人	2人	4人

1月 （15人）

	風車	ラッパ	ティッシュ	大きな口
◎よくできた	5人	6人	8人	8人
○できた	8人	6人	7人	5人
△少しできた	0人	0人	0人	2人
×できない	2人	3人	0人	0人
？測定不能	0人	0人	0人	0人

- 遊びの実践によって口のまわりが鍛えられたことが、数字で明らかになった。
- 表情が豊かになった。
- 口を大きくあけておしゃべりができるようになった。
- おもしろい表情をすることで楽しさを感じ、友だちや保育者と笑い合ったりする姿が増えてきた。

STEP6 次につなげる

0歳児の時は、認識力を高めたり、喃語や言葉を促す環境づくりをおこなった。1歳児では、表情筋を鍛えたり、口や舌をスムーズに動かす練習をすることで発語しやすくなるのではないかと考えて活動した。その結果、表情が豊かになり、舌がスムーズに動くことで言葉が豊かになったと感じる子が増えた。

表情が豊かになると口角が上がり、笑顔が増える。保護者にとっても、子どもがよりかわいい存在になり、愛情が深まる。親子の愛着関係を深めるための支援を様々に工夫しながら続けていきたい。

practice 3

生活や遊びの中での 体づくり

【2歳児クラス】

STEP 1 実態を把握する

・足元がおぼつかない。椅子に座った時に姿勢がよくない子がいる。
・転んだ時に手が出ない、ささいなことで転倒するなどの姿が見られた。

STEP 2 課題を見つける

・姿勢の悪さ、足元のおぼつかなさから、足首が硬く土踏まずができていないことが推測される。
・体をたっぷり使うような活動が不足しているのではないか。
・体を動かす活動を多く取り入れることで、土踏まずの形成が進むのではないか。

STEP 3 仮説を立てる

・外遊びのほかに、生活の節目で体を動かす経験を積むことで、土踏まずの形成を支えることができるのではないか。

STEP4 実践・観察・記録する

クラス内で話し合い、以下の活動をおこなうことにした。

手指の活動：	パズル、洗濯ばさみ、容器まわし、S字フックかけ、こま遊び
全身活動：	タンバリンタッチ、あひる歩き、両足ジャンプ、アスレチック、つま先ジャンプ

1日3～4回ほど発生する手洗いの場面に、運動を組み込むことにした。

〈手順〉タンバリンタッチを取り上げる。

1セット目

◆ 室内に一列に並び、保育者が手に持ったタンバリンに背伸びでタッチする。

⇒ 保育者は子どもの身長に合わせて背伸びをする高さになるよう調節する。

2セット目

◆ 室内にビニールテープで直線を引く。

◆ ビニールテープ状をつま先立ちで歩き、ゴール地点でタンバリンにタッチする。

⇒ スタートからゴールまでつま先立ちで歩くように、保育者がやって見せてからおこなう。

実践を観察したところ、次のような子どもの姿が見られた。

- つま先立ちで線上を歩くことができる子が増えていった。
- 回数を重ねるごとに、だんだんつま先立ちが上手になった。
- タンバリンにタッチしたい気持ちが先立ち、ジャンプをする子もいるが、保育者が「大きくなって」「背伸びして」と声かけをすることで、つま先立ちでバランスを取りながらタッチをするようになった。

保護者にも土踏まずの形成の重要性を伝えるため、ポスターやクラスだよりを作成し、掲示した。土踏まずの役割と、土踏まずをつくるためにどうしたらよいかを紹介した。

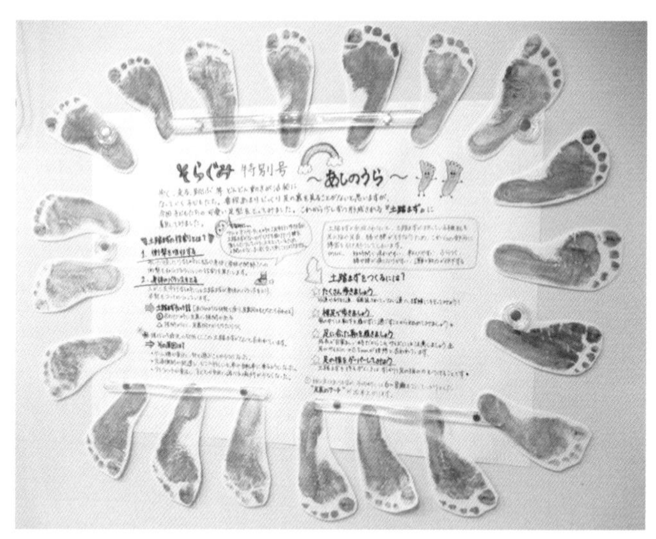

足の指を動かす大きな筋肉と、足裏のアーチを形成する筋肉は、ふくらはぎからきている。ふくらはぎの筋肉を鍛えることで、土踏まずのアーチが形成される。そこで、

- たくさん歩くこと
- 裸足で歩くこと
- 足に合った靴をはくこと
- 足の指を使うこと

など、土踏まずをつくるために家庭でもできることをアドバイスした

子どもの足の成長を知るために、実践前と7か月後の足形をそれぞれ取って比較してみた。その結果、次のことがわかった。

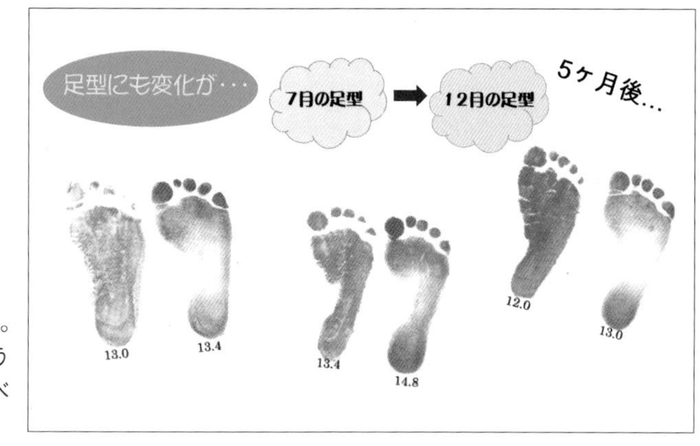

青が7月の足形、赤が12月の足形。比較しやすいように、それぞれ並べて貼ってみた

- 7月と12月の足形を比べると、平均して0.6㎝足が大きくなっている。
- 土踏まずの形成が進んでいることがわかる。

STEP5 検証する

生活や遊びの中での「体づくり」を通して気づいたことを保育者同士で話し合ったところ、次のような意見が出てきた。

- クラス単位で運動を続けていくうちに、いつの間にか子どもの姿勢の悪さが気にならなくなっていた。
- 日常的な運動が足の成長に大きく影響することがわかった。
- 体を動かして遊ぶことが好きな子どもが増え、転んだり、ぶつかったりなどのけがが減ってきた。
- 座って靴下をはく際にバランスを崩していた子が、安定してはけるようになった。

STEP6 次につなげる

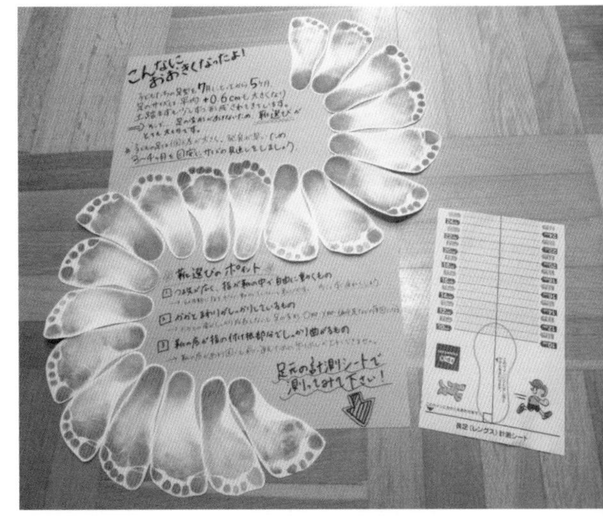

足に合った靴をはくことが大切だと保護者に知らせた

1年間、「やった！」「できた！」という達成感を味わうために、多くのアプローチをおこなってきた。楽しみながら体を動かそうと体操をおこなったり、保護者には体づくりについてクラスだよりで知らせたりした。保護者と一体となって進めてきたことが子どもの育ちにつながっていった。

今後も継続して、バランスのよい体づくりをおこなっていきたい。

practice 4

体幹を育てる
「両足ジャンプ」「斜面登り」
【2歳児クラス】

STEP 1 実態を把握する

・1歳児クラスの時から、体を動かす遊びを多く取り入れ、子どもたち自身が自ら「やりたい」「できた」という気持ちを大切にしてきた。
・2歳児クラスでは､「できた」「うれしい」「もっとやりたい」という気持ちが生まれている。

STEP 2 課題を見つける

・子どもたちの意欲を継続・発展させる活動が必要ではないか。
・子どもたちの「もっとやりたい」気持ちを大切に、子どもの体と心の発達を支えていきたい。

STEP 3 仮説を立てる

・さらに体を動かす遊びを取り入れることで、体のバランスがよくなり、身体能力がより高まるのではないか。
・身体能力が高まると同時に､言語能力が高まるのではないか。

STEP4 実践・観察・記録する

室内の環境を整え、遊びの中に、体幹を鍛える運動を意識して取り入れ、実践した。

「両足ジャンプ」

〈手順〉

◆ 保育室の床にビニールテープを貼る。
◆ ビニールテープを貼る位置は、子どもたちの歩幅に合った間隔にする。
◆ 逆走しないよう一方通行にする。
◆「横歩き」「両足ジャンプ」「かえる跳び」「しゃがみ歩き」「つま先歩き」「ギャロップ」「ケンケンパ」「ケンケン」の動きができるようにする。
◆ スタートの位置に横歩きはカニ、両足ジャンプはうさぎなどのイラストと、その横に進行方向の矢印をつけ、視覚でわかるようにした。
◆ 子どもたちの姿を見ながら、できるようになった動きは順に外し、いまできることよりも少しむずかしいことにチャレンジできるようにした。
◆ 子どもたちがいつでも好きな時にできるよう、常にテープを貼ったままにしていた。

実践を観察したところ、次のような子どもの姿が見られた。

● できることが増えるとうれしくなり、どんどんやる気が出てきた。
● できないとくり返し自分から練習する姿があった。
● できることが増えて、自分に自信をもつようになってきた。

● 最初はうまくできなかった動きが、くり返すうちにコツをつかみ、できるようになったことが次への意欲につながった。

両足でジャンプができるようになったところで、両足を揃えて最大30cmの台にジャンプして乗る「両足踏切跳び」にチャレンジしてみた。

実践を継続したところ、次のような子どもの姿が見られた。

● 台の高さを10cmから5cmずつ高くしていった。15cmまでは全員が跳び乗ることができた。
● 20cmの高さはクラス半分の子が跳び乗ることができたが、怖さでひざの屈伸ができず、体が固くなってしまう子もいた。跳び乗れない子もいた。
● 両足を揃えて跳ぶことがむずかしく、跳んでも片足ずつの着地になってしまう子もいた。
● 続けているうちに、体にぐっと勢いをつけてジャンプする動きがうまくできるようになってきた。

「斜面登り」

年間を通して続けてきた斜面登りは、11月には、高さ130cmで角度45度の斜面登りに取り組んだ。

● ハイハイ気味の子も含めて20名全員が登ることができた。
● 立って登ることができる子もいた。立って登る際は「足の指のふんばり」「バランス感覚」「体幹」などが必要。総合的な身体能力が育ってきたと言える。

STEP5 検証する

年間を通しておこなったところ、次のような効果が見られた。

- 体を動かすことが好きになった。
- 体幹がしっかりしてきたことで、つま先でふんばる力や、体を支える力がついた。
- できたことが自信になり、もっとやりたい、やってみたいというチャレンジする気持ちと、やればできるようになるという自信が育った。
- 集中力がつき、落ち着いて話が聞けるようになった。
- 静と動の区別がつき、行動にメリハリがつけられるようになった。

STEP6 次につなげる

１歳児クラスから２年間継続して、運動と子どもの発達をテーマに取り組んできた。１歳児クラスの時よりハイハイ板や築山を登る運動を多く取り入れたことで、四つんばいで登るために必要な足の力でふんばる力や土踏まずの形成がなされた。また、高さに対しても恐怖心がないなどの様子も見られた。

できない子にはどのようなアプローチが必要かを考えたり、できることを伸ばしていけるようにしたりと、一人ひとりに合わせて支援をした。今後も子どもたちがなぜできないのか分析をおこない、できる力を育てていきたい。

practice 5

ごっこ遊びで集団をつくる
「こぶたとオオカミごっこ」

【3歳児クラス】

STEP 1 実態を把握する

・４月、新しいクラスになり、新しい保育者と子どもたちとの関係性が弱い。
・追いかけっこから発展した「こぶたとオオカミごっこ」（園庭の遊具を家に見立て、オオカミ〈保育者〉がこぶた〈子ども〉を追いかける）を楽しんでいる。

STEP 2 課題を見つける

・集団づくりの活動として「こぶたとオオカミごっこ」を持続・発展させ、クラスみんなで盛り上がる遊びにしたい。

STEP 3 仮説を立てる

・「こぶたとオオカミごっこ」を続けていく中で、遊びが変化していくのではないか。
・この遊びを続けることで、発表会で劇が披露できるのではないか。

STEP 4 実践・観察・記録する

まずは、ごっこ遊びを盛り上げるために、「色鬼」と「かくれんぼ」の要素を取り入れた「こぶたとオオカミごっこ」をやってみた。

〈ルール〉

- 保育者がオオカミ、子どもがこぶたになり、オオカミがこぶたを捕まえる。
- 「赤いものに触っている時はおおかみにおそわれない」「こぶたはかくれることができる」の２つをルールに加える。

実践を観察したところ、次のような子どもの姿が見られた。

- 遊びたい気持ちが強いせいか、遊びの中で起こったトラブルは、自分たちで解決しようとする気持ちが強い。
- ルールが明確で遊びがわかりやすいため、ふだん関わりのない友だちとも一緒に遊べている。
- 遊びの中で、いつもより発語が多いと感じられる。オオカミとのやりとりで、ふだんあまり口にしない「ヤダ」という言葉を堂々と言うなど環境を楽しむ子がいる。みんなと一緒だと伝えやすい。また、遊びが楽しくリラックスした雰囲気だと言葉を発しやすい。
- 子どもたちの中から、遊びがもっと楽しくなるアイデアが出てくる。「お野菜あげるから食べないで」と言うなど。

「こぶたとオオカミごっこ」から、自分で絵を描いて、即興で紙芝居を作り、発表する子がいた。保育者が紹介するとブームになり、多くの子どもが思い思いに紙芝居を作成し、発表し合って楽しむようになった。

そこで、保育者が提案し、月組オリジナル劇「こぶたとオオカミ」の話をみんなで作ることにした。

- みんなで、どんなこぶたがいいか意見を出し合い、保育者がストーリーをまとめた。
- その内容を保育者が紙芝居にし、わかりやすくした。
- 子どもたちの思いがたくさん入った劇遊びの台本が完成。発表会へとつなげた。

発表会後の「こぶたとオオカミごっこ」は、次のように発展していった。

- 「こぶたとオオカミごっこ」を発展させた「おうち遊び」が始まった。
- 父や姉など登場人物が増え、家族の模倣遊びが見られた。

STEP5 検証する

「こぶたとオオカミごっこ」を発展させ、紙芝居作りにつなげたことで、子どもたちの姿がどのように変化したか、保育者同士で話し合った。

- 1年を通して同じテーマで遊んできたことで、「こぶたとオオカミごっこ」が身近になった。
- ごっこ遊びに消極的だった子も「こぶたとオオカミごっこ」なら遊びに入りやすくなり、集団遊びに参加するハードルが下がった。
- 「仲間に入りたいけど、どうしたらいいかわからない」と思っている子も参加しやすくなった。
- 紙芝居作りを通して、より「こぶたとオオカミごっこ」が楽しくなり、遊びでも積極的に参加するようになった。
- 園庭遊びから始まった「こぶたとオオカミごっこ」は、ずっと続けていくうちに、子どもたちが自ら紙芝居を作るようになり、劇ごっこの土台となった。
- ふだんとは違う友だちとの関わりが見られるなど、集団の広がりを感じた。発表会後、「こぶたとオオカミごっこ」は発展し、「おうちごっこ」へ変化した。子どもたちの成長とともに、単純な追いかけっこからルールが複雑な遊びへの変化が見られた。

STEP6 次につなげる

今後も様々な場面で一人ひとりの意見を大切にし、子どもたち主導の遊びの展開ができる保育をおこなっていく。

practice 6

子ども同士の絆を強める
「野球遊び」
【4歳児クラス】

STEP 1 実態を把握する

・ある子どもが紙を丸めた棒を野球のバットに見立てて遊んでいた。この野球遊びに数人の子が興味を示し、遊びに参加し始めた。

STEP 2 課題を見つける

・ルールのある遊びへの導入にしたい。
・野球遊びを通して、クラス全員の遊びの展開につなげていきたい。
・遊びが盛り上がるための道具の工夫が必要。

STEP 3 仮説を立てる

・グループ遊びとして楽しめる野球遊びを保育者が広げていくことで、子ども同士の絆を強める集団遊びにつなげていけるのではないか。

STEP4 実践・観察・記録する

保育者が仲立ちとなり、「野球遊び」をおこなう。

〈手順〉

- 新聞紙で丈夫なバットとボールを作る。
- 野球場のマウンドをイメージできるような環境を用意する。
- 「野球遊び」に様々な形で参加し、楽しめるようにチアリーディングチームを設定する。
- 保育者がピッチャー、子どもがバッターになる。
- 「打ったら1塁ずつ走る」というルールでおこなう。

保育室内に野球ができる環境を設定

最初の実践では、次のような子どもの姿が見られた。

- 最初に参加した4人の子は基本ルールを理解しており、打つ、走ることを楽しんでいた。
- 経験のない子はバットの構え方がわからず、片手で持って振っていた。
- 参加する子が増えるにつれて、待ち時間も発生していった。
- 「がんばれ」と応援する子どもや、「こうやって打つんだよ」と打ち方を教える子どもがいた。
- 何度振っても当たらない子は、くやしそうな表情をしていた。

バットでうまくボールを打てない子どもも楽しめるよう、面の広いラケットを段ボールで作り、「野球遊び」をおこなった。

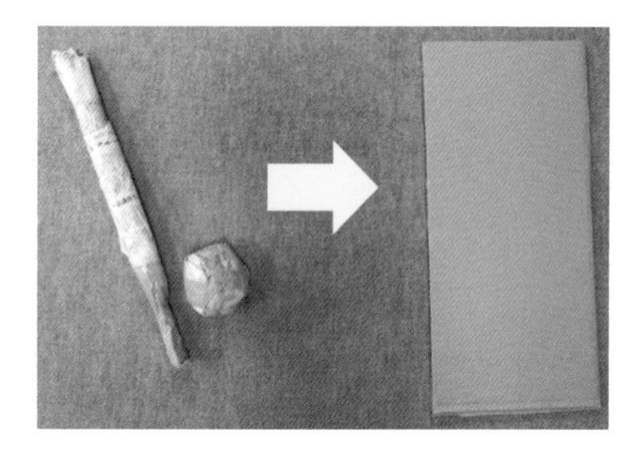

当てる面積を大きくした「ラケット形バット」

- これまでボールを打てなかった子が打てるようになり、楽しそうに参加していた。
- みんなで参加できる遊びとして、定着してきた。

打って走るごとに点数が入るようにし、2チームに分かれて試合形式でおこなった。点数はホワイトボードにマグネットを貼って視覚化した。

ボールゲームを単純化するために、ゴムマーカー間の往復で点が入るようにした

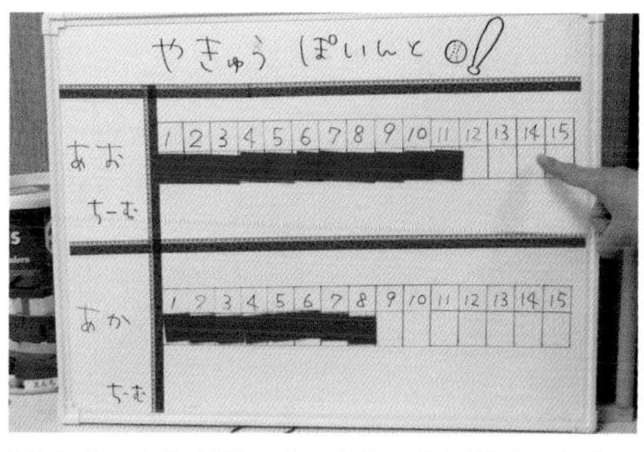

「あおちーむ」が勝っていると、ひと目でわかる

- 点数を競うおもしろさに気づいた。
- 点数をグラフにすることで、数字への興味につながった。
- 勝ち負けがあることで、遊びへの興味が継続し、「またやりたい」という気持ちが生まれた。

(注)ボールゲームは単純化することがポイント。そのためゴムマーカー間の往復で点が入るようにした。

STEP5 検証する

「野球遊び」を“みんなで楽しむ遊び”に発展させたことで子どもたちにどのような変化があったか、保育者同士で話し合ったところ、次のような意見が出てきた。

- 遊びにおけるルールづくりや環境を整えることで、子どもは集団遊びを楽しめるようになる。
- 集団での遊びをくり返す中で、クラスとしての絆ができてきた。
- 一人の子どもの発想をきっかけに、全員参加して楽しめる遊びになった。しかし、その中でも課題があり、全員がより楽しめるようにチアダンスを提供したり、打てない子のためにラケット型バットを作ったり、得点表を作ったりした。
- ラケットとバットを選択できるようにして「バットで打つと高得点になる」ルールを決めるなど、遊びにおけるルールづくりや環境を整えることによって、しぜんと同じ遊びを共有できることがわかった。

STEP6 次につなげる

野球遊びを通して、色鬼やかくれんぼなど、ルールのある遊びの楽しさがわかることに発展していった。子どものいまをとらえ、きっかけを逃さず、生かしつなげていくことが今後も大切と考える。

practice 7

行事に期待をもたせる
高尾山マップ作り
【5歳児クラス】

STEP 1 実態を把握する

・5歳児になって半年経過し、夏祭り、運動会などを通して、保育園のリーダーとしてクラスがまとまってきた。

STEP 2 課題を見つける

・子どもたちはおしゃべりが好きだが､みんなの前での「意見」では消極的になり、自信がなく、発言できない子がいる。
・子どもたち一人ひとりが発言でき、友だちの意見に対して受容できる環境づくりが必要だと考えられる。

STEP 3 仮説を立てる

・高尾山遠足を通して、自然への関心や意欲を育てられるのではないか。
・自分の経験を言葉にして発信する機会につなげられるのではないか。

STEP4 実践・観察・記録する

高尾山遠足に期待がもてるように知識を深め、子どもたちの高尾山マップを作りたいという思いを育てていく。

〈手順〉

◆ 『高尾山の木にあいにいく』（理論社）という本の読み聞かせをおこなう。
◆ 高尾山の風景や生き物、木や花の写真を見せる。
◆ 天狗伝説を紹介する。
◆ 職員手作りの高尾山マップを紹介する。

絵本の読み聞かせでは、次のような子どもたちの姿が見られた。

- 「天狗がいるの？」「タコ杉って何？」などと、高尾山に興味を示していた。
- 「早く行きたい」「おもしろそう」など遠足への期待が高まっている。
- 自分たちも地図を作ってみたいという声が聞かれる。そのためには、高尾山遠足での観察が大切なことを子どもたちに伝える。

いざ遠足へ。高尾山への遠足では、高尾山への興味・関心をつなぐために、「途中にすごい階段があるんだよなあ。先生、登れなかったらどうしよう」「山のてっぺんに行ったら、保育園が見えるかなあ」「天狗が来たらどうしよう」などと、子どもが言葉を返したくなるような言葉をかけた。

- 「ぼくは階段登れるよ！」「天狗、ほんとにいるのかな」などと、保育者の言葉に反応していた。
- 「山なのにカニがいる」「きれいなサンゴみたいな花で森が海かと思ったよ」「初めてこんな大きなムカデを見たよ」など、登山の途中にさまざまな発見をし、喜んでいた。
- 子どもの発言に対して、ほかの子どもから、「あ、そうそう！」「ぼくも見た」と、共感の言葉が多く聞かれた。

遠足が終わり、オリジナルマップの作成に取りかかった。作成の過程では、次のような子どもたちの姿が見られた。

保育者が山と道を描き、子どもたちが自分で見たもの、伝えたいものを描いて貼る

- 楽しかったことや発見したことを語り合う姿があった。
- 同じ体験をすることで、子ども同士、気持ちを共有でき、話したい、伝えたいという気持ちが高まった。

- マップを使って高尾山登山すごろくをするというアイデアが子どもから出た。そのおかげで、より楽しい体験が持続した。
- 一人ひとりの発言の中で、自ら考えて、一人の体験ではない、みんなが一緒に見たことの感想を伝え、共感性を考えたり、会話が広がる話題を提供している姿があった。

STEP5 検証する

「高尾山マップ作り」を通して、子どもたちに何が育ったか、保育者同士で話し合った。

- 遠足の前に図鑑や、高尾山パンフレット、パソコンで高尾山の資料を見て知識を得たり、高尾山について子ども同士で話し合うことで、語彙力が高まった。
- 知らないことを「もっと知りたい」という好奇心が高まった。
- 遠足では、体がきつくても最後まで登り切ることができ、自信がついてきた。
- マップ作りでは、遠足の経験での思いを言葉で伝え合う姿があり、関係性の深まりを感じることができた。
- 前からある活動や行事でも、子どもに育てたい力を意識しながら取り組むことで、子どもたちの育ちを支えていけることがわかった。

STEP6 次につなげる

ふだんおこなっている遊び、行事でも、子どものどんな育ちを支援するのかによってアプローチの仕方を変えていく。

practice 8

個人が輝き、クラスが育つ

ファッションショー

【5歳児クラス】

STEP 1 実態を把握する

・女の子が園庭に落ちていた花を髪に飾り、モデルふうの歩き方をして遊んでいた。その後、女の子を中心に、モデルごっこに発展していた。
・モデルごっこに加わりたいけれど、その気持ちを言葉に出せない子どもの姿があった。

STEP 2 課題を見つける

・友だちとの関係の中で、自分に自信がもてず遠慮してしまったり、思ったことを自由に伝えられなかったりする子どもがいる。
・子どもそれぞれが自分の居場所を見つけ、輝けるようにしたい。

STEP 3 仮説を立てる

・子どもたちが楽しんでいるモデルごっこを、クラス全員で楽しめるようにすることで、消極的な子も参加でき、クラスのまとまりにつながるのではないか。

STEP4 実践・観察・記録する

保育者が子どもたちに「ファッションショー」を提案する前に、映像で本物のファッションショーを見せた。

初めて見るファッションショーに子どもたちの目は釘づけ。光や音の効果に気づけるような声かけをした

映像を見た子どもたちに、次のような姿が見られた。

- おしゃれや洋服などに興味のなかった子どもも、興味が湧いてきたようだ。
- 子どもたちにファッションショーのイメージができたようだ。

どんな役割があるかを説明

保育者から「ファッションショーをしてみないか」と提案。その際、人前に立つことに苦手意識のある子が参加する気持ちになれるよう、ファッションショーには、モデルだけでなく、音響や照明などいろいろな仕事があることを伝える。

- 「やったー」と喜ぶ子、「いやだ」という子、「えー」と渋る子、様々な反応があった。
- やりたくないそぶりをしながらも、実は興味がある様子の子もいた。
- 「盛り上げ係ならやりたい」という声もあがった。

事前にやりたい仕事を第2希望まで考えておくよう伝えたうえで、役割分担を決める話し合いをおこなった。

- モデル希望者がなかなか集まらないので、保育者が「1人では無理だけれど、2人でなら大丈夫な人？」と提案すると、数名が手をあげ、徐々に人数が増えていく。
- モデルが1名足りず、照明から1名がモデルにならなければならない状況になり、くじ引きでAくんがモデルになる。涙ぐむが、涙をこらえて「やるよ」と答える。
- 夕方、「本当はモデルになりたかった」とBちゃんが言う。しかし、自ら希望した盛り上げ隊の花まき係の花作りの仕事を通して、やはり盛り上げ隊をやり通すことを決める。

当日、モデル役のEちゃんが体調不良で欠席する。どうしたらよいか、みんなで考える。

- 子どもからは「同じグループの子がEちゃんのぶんもやる」という案が出るが、着替えの都合上、できない。
- 保育者がいくつか案を出すが、なかなか決まらない。「同じ衣装のFちゃんに両方のグループで出てもらう」という案で、Fちゃんが了承。子どもたちから励ましの声があがった。

無事、ファッションショーが終了した。子どもたちからは、「楽しかった」「ドキドキした」「みんながすごかった」「お客さんが笑っていた」といった声が聞かれた。

STEP5 検証する

ふだんの何気ない遊びを発展させ、ファッションショーという大きな舞台をつくり上げる経験から、子どもたちにさまざまな変化が見られた。

- 一人で困難に立ち向かうのはむずかしいが、誰かと一緒ならできると考えられるようになった。
- 困難があってもやり抜こうとする気持ちが芽生えた。
- 与えられた仕事(役割)に責任をもとうとする気持ちが出てきた。
- がんばろうとする気持ちや、人前に出る勇気を互いに認め合う姿があった。
- 友だちとがんばる、友だちのためにやろうという意識が芽生えた。

STEP6 次につなげる

今後おこなわれる園の行事や、日々の生活の中での様々な経験を通して、個人が力をつけ、集団が育ち、年長クラスとしてさらなるステップアップができることを期待している。

practice 9

親子のコミュニケーションの場をつくる

ホワイトボードメッセージ

【フリー保育士】

STEP 1 実態を把握する

・家庭にて「保育園で何をして遊んだの？」と聞いても、「わからない」「忘れた」などいつも同じで、返答のない傾向がある。

STEP 2 課題を見つける

・会話が弾まない原因の一つは、保育園における親子の共通の話題が少ないことだと思われる。
・子どもとの共通の話題をつくるために、フリー保育士から発信したい。

STEP 3 仮説を立てる

・お迎えの際、必ず通る事務所の前のホワイトボードを活用し、親子の共通の話題を提供することで、会話が始まるのではないか。

STEP4 実践・観察・記録する

ホワイトボードを活用し、親子の反応を観察した。

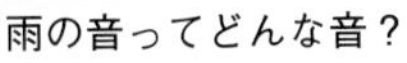
雨の音ってどんな音？

Let's ダンス盆踊り

- 親子で足を止める姿はあるが、それほど会話は深まらない様子。
- どれだけの親子がホワイトボードを見ているのか実態調査をし、内容を決める際の参考にしたい。

ホワイトボードの閲覧状況を把握するため、見たらシールを貼ってもらうことにした。

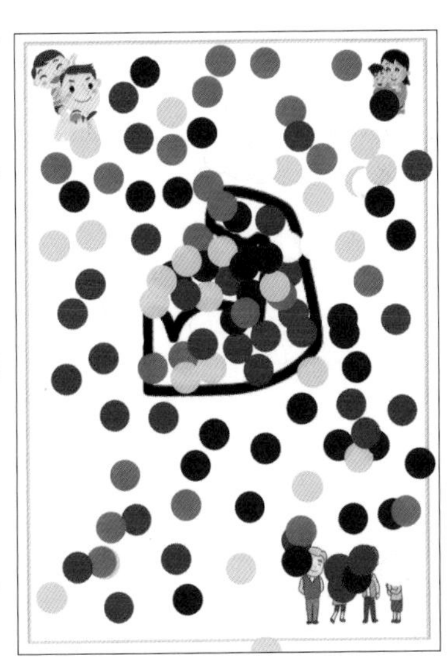

シールによって反応があるとわかるが、一人で何枚もシールを貼ったり、シール貼りを楽しんでいる

- 回を重ねるごとに反応が増え、「フリーボードを見たよ」「実際にやってみたよ」などの声が届くようになった。
- シールを貼ることが楽しくて、何度も貼ってしまう子どもがいるという課題も出てきた。

家庭でのコミュニケーションツールとしてだけではなく、フリー保育士と家庭との双方向のコミュニケーションに発展させるため、ダジャレを募集してみた。

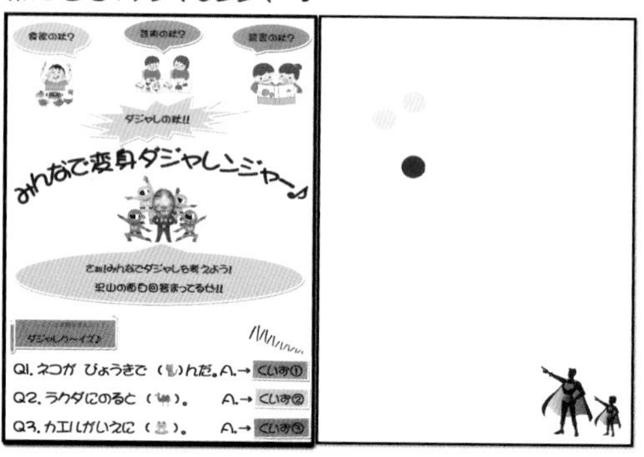

ダジャレを記入用紙に書いてきた子にシールを渡す

- 親子で考えたという反応があった。
- いくつも応募してきてくれる家庭もあった。

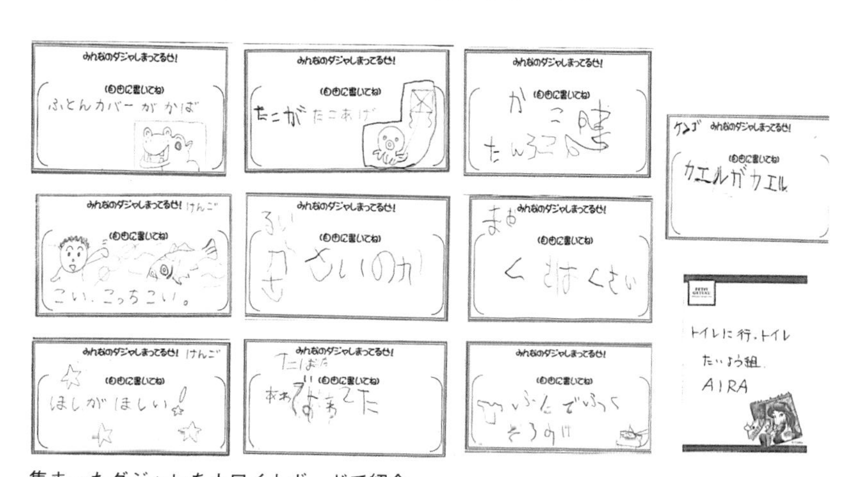

集まったダジャレをホワイトボードで紹介

ダジャレを絵で表現する子も登場

STEP5 検証する

親子の共通の話題をフリー保育士から提供することで、どんな効果が得られたか考えてみた。

- 親子で同じものを見る、考える機会を提供することで、その場だけでなく、家庭での会話を増やすことにもつながった。
- ただ「お題」を提供するのではなく、シールを貼る、だじゃれを募集するなど「双方向通信」にすることが効果的だとわかった。

STEP6 次につなげる

保育園でのフリー保育士の役割は、地域支援のほか、保育が円滑に進むよう支える、いわば縁の下の力持ち。今回は、ホワイトボードを使って、コミュニケーションを提供する場をつくった。最初は、「抱っこのコツ」といった一方的な情報だったが、「双方向通信」にすることで、親子のコミュニケーションに活用されていることが可視化された。

フリーであっても保護者と関われる実践を今後も提供していきたい。

practice10

身近な自然に興味をもつ

「おたまじゃくし大好き」

【一時保育】

STEP 1 実態を把握する

・一時保育の実態として0～2歳児が対象で、週1～数日登園する子が多い。
・散歩中、カエルの鳴き声に気づき、「ゲロゲロいた」と喜ぶ子がいた。

STEP 2 課題を見つける

・カエルへの興味をきっかけに、自然に目を向けていきたい。
・「これは何」「おもしろい」「不思議だね」というたくさんの気持ちを育てたい。

STEP 3 仮説を立てる

・本物のカエルを見たり、カエルへの興味を育てる取り組みをしたり、おたまじゃくしを飼育することで、子どもが自然に興味をもつのではないか。
・保育園に来ることが楽しみになるのではないか。
・一時保育なので、生活に慣れるきっかけにつなげられるのではないか。

STEP4 実践・観察・記録する

カエルをつかまえた日に、たまたま図鑑の１枚が切れて落ち、子どもが見つけた。そこにちょうどカエルが載っていた。その一瞬のできごとを保育者が見逃さず、カエル探しゲームに発展させた。

〈手順〉

- ◆ カエルの歌をうたう。
- ◆ カエルの切り抜きを用意し、保育室のいろいろな場所に置く。

図鑑をカラーコピーし、カエルを切り抜いた

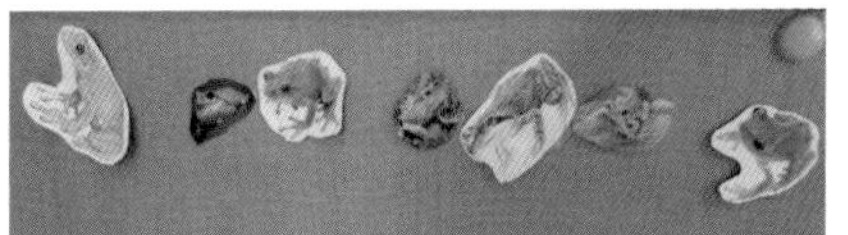

実践を観察したところ、次のような子どもたちの姿が見られた。

みんなで「カエル」を探しごっこ

カエルを見つけて、大喜び。散歩でカエルの鳴き声を聞いたなど、子どもたちに共通の体験があったことで、ゲームが盛り上がった

- ● 切り抜きのカエルを見つけて、「カエルがいた！」「ゲロゲロだ！」と、驚いたり、喜んだりする姿があった。
- ● 散歩の最中、カエルの姿を探すようになった。

カエルへの興味を発展させるために、おたまじゃくしを飼うことにした。えさやりや水槽の水の交換などを子どもとおこなった。

- 図鑑を持ち出し、見比べる姿があった。自ら学ぼうとする姿が見られる。
- 友だちと一緒に図鑑を見ていた。共通の体験があったからこその姿だ。
- 「おたまじゃくしはカエルの赤ちゃんなんだよ」と伝えるが、あまりピンとこない様子があった。飼育することで「カエルになった」と気づく。
- 生きて動いているおたまじゃくしの姿に興奮していた。
- 毎日、水槽をのぞく姿があった。
- 足が出てきた、などの変化に気づいて、保育者に伝えていた。

大きくなったカエルをおたまじゃくしを見つけた田んぼに放した。

- カエルがどこに行くのか気にしてよく見ていた。
- 「カエル、バイバイした」「先生が泣いてた」などと、家庭で報告をしていた。

STEP5 検証する

カエルへの興味をきっかけに始まったおたまじゃくしの飼育が子どもに与えた影響について、保育者同士で話し合ったところ、次のような意見が出てきた。

- 外にはいろいろなおもしろいことがあることを知り、散歩に行くことが好きになった。
- カエル以外の生き物や植物などにも興味が出てきた。
- おたまじゃくしを育てるという共通経験が子どもの言葉を引き出した。
- 園が楽しいところだと思えるようになった。

STEP6 次につなげる

「遊び込む力を育てる」というテーマを掲げて、1年間保育をおこなってきた。

この1年の保育実践をバルーンマップにしたことで可視化され、保育は点ではなく、線でつながっていることが実感できた。

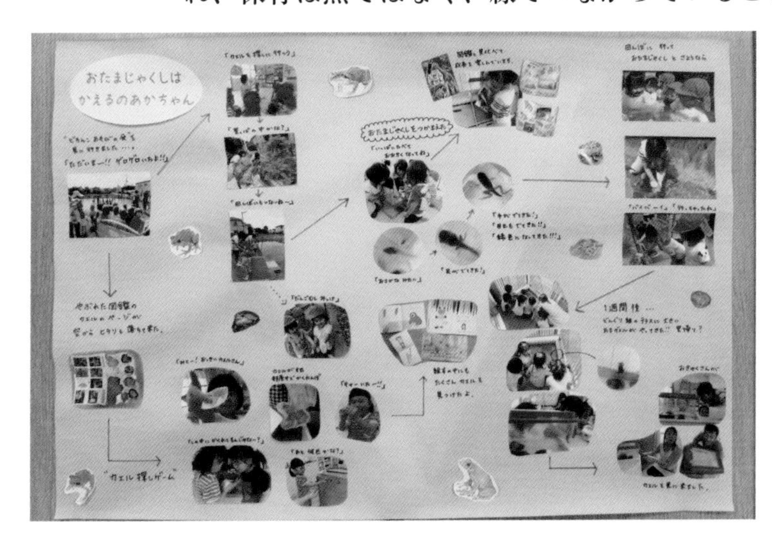

子どもの体験を家庭と共有することもできた。今後も園と家庭とで一緒に子どもを育てるパートナーシップを高めていきたい。

practice11

自分でやりたい気持ちを引き出す
オリジナルこま作り

【一時保育】

STEP 1 実態を把握する

・初めて集団生活を送る子どもが多くを占める。
・年齢や利用日数が子どもによって異なる。

STEP 2 課題を見つける

・子どもそれぞれの利用日に、たくさんの経験をおこなうことで、「できた」の気持ちをもてる保育を提供したい。

STEP 3 仮説を立てる

・手先を使った遊びを多く取り入れることで、着脱や食事などの基本的な生活習慣の育ちが伸びてくるのではないか。

STEP4 実践・観察・記録する

手先を使った遊びの中に、こまを取り入れる。保育者が回すと興味を示し、自分で回そうとする姿が見られたため、より楽しめるように自分だけの「オリジナルこま」を製作することにした。

〈手順〉

保育者がおこなうこと

◆ 型を作ってこまの台紙を１人２枚づつ用意する。

◆ ピンポン玉に４か所、穴をあけ、つまようじを十字に通す。

◆ ピンポン玉を２枚の台紙ではさみ、貼り合わせる。

子どもがおこなうこと

台紙１枚は、好きなように模様を描く。もう１枚は、シールを貼る。

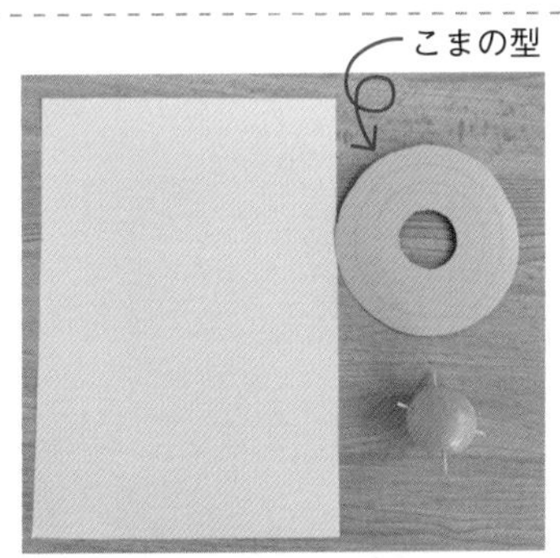

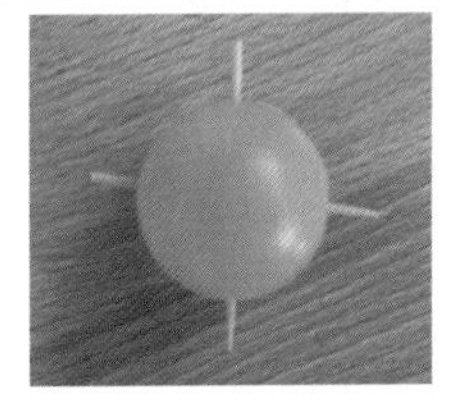

子どもの発達段階によって、描き方に違いが見られた。

● こまを回すイメージがもて、手首を回す力が育ってきている多くの子が、ぐるぐる丸を描いた。

● 手の動きがなめらかでない子は、点描や短い線になった。

● 月齢が高く、ものをよく見る子は、縦線を色を変えながら描いていた。

シールを貼る台紙には、線を意識してシールを貼れるように事前に線を描き入れておいた。子どもによって、貼り方に違いが見られた。

● 保育者と同じようにきれいに線上に貼った子、線と線の間にシールを貼る子、シールを貼ることが楽しくなり、途中から線が意識できなくなった子がいた。

最後に、自分で作ったこまをまわして楽しんだ。

友だちのこまが気になる

● きれいな模様にうれしくなり、喜びを表す子どもがいた。
● ふだん意味のある言葉をほとんど口にしない子が、はっきり「きれい」と言う。
● 熱心に回す友だちの姿を見て、自分もやりたくなってやってみる姿があった。

STEP5 検証する

「オリジナルこま作り」を通して気づいたことを保育者同士で話し合った。

- 自分の手を使って遊ぶ楽しさを感じることで、やりたい気持ちが高まる。
- 手指の様々な動きを経験することで、生活の中でできることが少しずつ増えてくる。
- 一人ひとりがじっくり遊び込み満足することで、関わりや言葉が増えていくという効果もあった。
- くり返しおこなうことで、もっとやりたい、もっとうまく回したいといった意欲が育っていった。

STEP6 次につなげる

一時保育のクラスは、日によって利用メンバーが異なる。こま遊びは、毎日来ている子と、週１～２日利用の子を遊びの中でつなげ、イメージを共有して一緒に楽しむことができるものになった。一人ひとり興味のもち方や遊び方、反応の仕方は違うが、その時々の子どもたちがより楽しく笑顔で過ごせるようなきっかけとなる遊びの提供を心がけ、さらに遊びが広がっていくような関わりを大切にしていきたい。

その積み重ねが友だちと過ごす心地よさとなり、楽しい環境の中での生活体験が、着脱や食事などに必要な手先の巧緻性も含め、子どもの伸びる力となっているように思う。

初めての集団生活は、保護者にとっても不安が大きいと思うが、子どもたちの変化や育ちに共感することで、子育ての強い味方としての役割も果たせたらと思う。

practice12

科学の目を育てる

ホットケーキ作り

【栄養士】

STEP 1 実態を把握する

・食育活動の一環として、栄養士を中心に５歳児がホットケーキを作った。

・ねらいは卵や牛乳の分量を変えることにより、できあがりの違いを感じ、科学の目を養うことである。

・調理の過程の「分量をはかる」部分にとくに興味をもち、子どもたちは目を輝かせ、栄養士の話を聞いていた。

STEP 2 課題を見つける

・いままで、何度か栄養士が作る姿を見てきたが、今度は子どもたち主導でホットケーキ作りを経験させる。

・大人は見守ることに徹し、「分量をはかる」「混ぜる」など、子どもたちで見通しをもち、役割分担する。

STEP 3 仮説を立てる

・調理工程の中で、「はかり」「計量カップ」の使い方を知る機会になるのではないか。

・分量を変えたホットケーキを食べることで、ふくらみ方や味の違いに気づき、「物の違い」に目を向ける力を育てられるのではないか。

・調理工程の中で、「友だちと協力する力」「役割分担する力」が育つのではないか。

STEP4 実践・観察・記録する

ホットケーキ作りのイメージが広がるように、絵本『しろくまちゃんのホットケーキ』（こぐま社）の読み聞かせをおこなう。そのうえで、子どもたちに1からホットケーキ作りを任せてみた。

〈手順〉

①粉と牛乳の分量をはかる。
②卵を割る。
③材料を混ぜる。
④ホットプレートで焼く。

実践を観察したところ、次のような子どもの姿が見られた。

● 話し合いのもと、ジャンケンで役割分担を決める姿があった。

● 調理工程でわからないことは、上手にできる子の様子を見ながら学習する姿が見られた。

● 牛乳をうまくはかれない子にさりげなく教える姿が見られる。

● 形が崩れてしまったホットケーキにがっかりするのではなく「くわがたみたい」、と創造力あふれる発言が聞かれた。

STEP5 検証する

ホットケーキを作る経験を通して、子どもたちに育った力を確認する。

（判断力・分析力の向上）

- 粉を多く入れてしまった子がいたが、怒ったりすることなくやさしく教えて合っていた。「卵とか牛乳を入れてみたらいいんじゃない？」とほかのグループから提案があった。

（科学的な力の向上）

- 卵や牛乳を多く入れた生地は甘いのか、ふわふわなのか、想像して実食することができた。
- 違いに気づく力がついた。

（見通す力の向上）

- 調理をするうえで、全体を見通して計画を立てる力がついた。

（役割分担し、協力する力の向上）

- ホットケーキを焼き、ひっくり返すタイミングを友だちと合わせたり、誰がどの担当になるのか話し合いで決めたりなど、人と関わる力や感情コントロールする力が育った。

STEP6 次につなげる

その後、もう一度ホットケーキ作りをおこなった際には、前回欠席した子どもが戸惑っている時、さりげなく「こうしたほうがいいよ」と教える姿が見られた。調理室内ではわからない子どもの成長を肌で感じる貴重な機会となった。

以前より、どの野菜が水に浮かぶかなどを子どもと一緒に実験し、「食と科学」に興味がもてるような活動をおこなってきた。今後も年齢に合わせて同様の取り組みをおこない、調理の不思議を伝えていきたい。

practice13

子どもの健康を正確に知る

視力検査

【看護師】

STEP 1 実態を把握する

・小児用視力表にて視力検査をおこなっているが、子どもがきちんと理解していなかったり、うまくできなかったりで、正確な視力がはかれていない子がいる。

STEP 2 課題を見つける

・視力検査がうまくいかない理由として、子どもが検査方法を理解できていないことがある。
・検査では５ｍの距離を確保すると検査者に子どもの声が届きにくい。様子も見えにくい。
・子どもの健康把握のため、正確にはかれる視力検査をおこないたい。

STEP 3 仮説を立てる

・３歳からの視力検査キット「たべたのだあれ？」を使用することにより、子どもが視力検査方法を正しく理解でき、正確な視力がはかれるのではないか。

STEP4 実践・観察・記録する

「たべたのだあれ？」を使用してみた。

〈手順〉

- ◆ 導入絵本『たべたのだあれ？』を読む。
- ◆ 絵本の中で、ドーナツを誰が食べたかクイズで練習し、子どもの理解度を確認する。
- ◆ 検査台のあご乗せ台にあごを乗せる。
- ◆ 左右順に目隠ししながら、視標を使って「0.5」「0.8」の検査をする。

その結果、絵本で練習した通り、上手に答える子がいる中、積極的だった子が思うような結果を出せなかったり、検査に集中できない子がいた。そこで、なぜ視力検査がむずかしいか、保育者にも意見をもらった。

- ● 検査台を子どもの身長にそれぞれに合わせることができず、あごの固定がむずかしいのではないか。
- ● 遮眼子で片目を隠すことで、検査対象よりもそちらに興味がいってしまうのではないか。
- ● まわりのものが目に入り、集中できないのではないか。

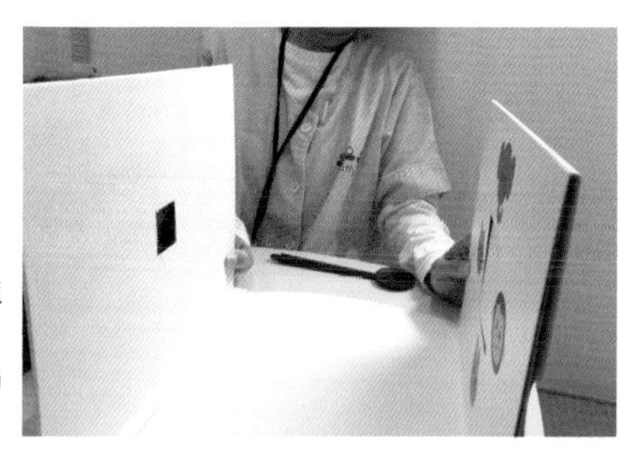

しきり板に片目でのぞける穴を開け、遮眼子の使用をやめ、あごの固定も必要なくした。しかし、板１枚では、前後に動いてしまう問題が生じた

子どもが「むずかしい」「いやだ」と感じると思われる点を解消した視力検査を考案し、改良を重ね、最終形が決定した。

左右を囲うことで、板の固定がしやすい。左右からの情報が入らないため、子どもの集中力が上がる

改良した視力検査をおこなったところ、子どもたちにどのような変化があったか話し合った。

- 両目でしか測定できなかった子が、仕切り穴から覗くことで、片目ずつ測定できた。
- ゲーム感覚で楽しく取り組めた。
- 検査方法の理解が十分でないと感じた子どもは、1対1で再度絵本を読み、練習した。

STEP5 検証する

視力検査をおこなうことで、子どもにどんな影響があるか考えてみた。

- もっとよく見てみよう、集中してみようと思うことで、子どもは視力検査に前向きに取り組める。
- 正しい視力検査がおこなえると、異常の早期発見ができ、専門医につなげることができる。

STEP6 次につなげる

保育園の看護師は、子どもの健康管理が大切な仕事である。今回は、視力検査に注目し、正しい検査結果が得られるように工夫してみた。

当初、これがよいと思った検査方法では、うまくいかなかった。そこで、さらに子どもの様子を分析し、保育者とも相談しながら検査方法を改良していった。

今後も子どもの実態に合わせながら、子どもの健康を守るための方法を考えていきたい。

総括

3年間の園内研修を振り返って

ここで紹介した「思考する保育」の実践例は、第２府中保育園でおこなった３年間の園内研修をもとにまとめています。

1年目（2017年度）

その年ごとに研修テーマを決めておこなうこととし、初年度は「オーダーメイド保育を目指して」にしました。「オーダーメイド」という言葉に、一人ひとりの子どもの発達に合わせた保育を進めていこうという意図を込めました。子どもを集団とか全体で見る前に、まず、一人ひとりの子どもをきちんと見つめることを大事にしてもらいたかったからです。

１年目が終わった時に、園内で実践発表会を開きました。互いのクラスの実践について、なんとなく知ってはいても、よく知っているわけではなかったからです。その発表会用資料に書いた「第２府中保育園研修によせて」の原稿の最初の部分だけ紹介します。

> 第２府中保育園の研修に関わらせていただくようになって、まもなく１年間になります。たったの１年間だったのですが、その中身の濃さといったらなかったのではないでしょうか。同時に、その間の保育士の皆さんの成長ぶりには、本当に驚かされました。
>
> 私はいつもそうなのですが、聞いている人に合わせて話のレベルを下げるということは、絶対にしません。ただし、内容の質は下げずに、できるだけ分かりやすくて平易な言葉で説明するようにはしています。そうは言っても、要求の質が高いことには変わりがありませんから、「どの程度まで理解してくれるだろうか」という不安がなかったわけではありません。
>
> そうした不安を一掃してくれたのは、保育園全体に満ちている前向きな雰囲気だったのではないかと思います。私がアドバイスしたことをすぐに受けとめ、どんどんと成長していく姿は、見ていて本当に頼もしく感じられました。

この文章にあるように、かなり高い要求をしたのにもかかわらず、常に前向きに取り組んでくれました。また、日時園長がそのような雰囲気をつくってくれたことも、大きいのではないかと思います。

また、保護者の理解を得るために、2017年4月に親向けの講演会も園内で実施し、第2府中保育園の実践および子育てや保育の方向性を伝えました。

2年目（2018年度）

2年目のテーマは「子どもたちの非認知能力を育てる～子どもの意欲を育て保護者とつながる保育～」としました。子ども一人ひとりを見るところから一段階レベルを上げて、「非認知能力をいかに育てるか」に焦点を当てました。

3年目（2019年度）

3年目のテーマは「小学校へつなげる力を意識する保育の向上　～データから見る保育の科学化～」としました。「非認知能力を育てる」ことをベースに「小学校につながる力とは何か？」を追求していきました。

3年目になり、ぐんと保育実践が充実しました。そこで、2020年2月に「第2府中保育園　保育実践報告会」を実施し、府中市内の保育者向けに保育実践を発表しました。参加した保育者からは、かなりの高評価を得ることができました。

研修を始めて3年間、一度この目で見たものは見なかったことにはできないし、一度知った事実は忘れることも否定することもできないように、第2府中保育園の職員がこの研修で経験したことは、消し去ることはできません。子どもたちとともに生きようと歩み始めたこの道は、もう引き返すことはできないのです。

4年目、5年目と、さらに保育実践を深めていってくれることと期待しています。

増田修治

「思考する保育」の園内研修

増田先生の指導を受けて４年目を迎える第２府中保育園の園内研修を紹介します。

〈園内研修の流れ〉

その年の園としての研修テーマを決める

・職員全員で話し合う。
・園としての課題を広い視点で出し合う。

2017 年度　オーダーメイド保育を目指して
2018 年度　子どもたちの非認知能力を育てる
～子どもの意欲を育て保護者とつながる保育～
2019 年度　小学校へつなげる力を意識する保育の向上
～データから見る保育の科学化～
2020 年度　小学校へつなげる力を意識する保育の向上
～データから見る保育の科学化 その２～

園の研修テーマをもとに、各クラス・担当ごとのテーマを決める

・クラス担任、その他の各チーム（一時保育・看護師・フリー保育士・栄養士）ごとに話し合う。
・クラスや活動単位で子どもの姿から課題を出し合い、年間のテーマを決める。
・どのようなアプローチをしたらよいかを考える。

月に一回程度研修会を開く

・各クラス・チームごとに実践と子どもの姿をまとめ、報告する。
・意見交換をおこなう。
・増田先生、園長や主任のアドバイスを受ける。
・次の課題やアプローチ方法のイメージを広げる。

年度末に発表会をおこなう

・1年間の実践をまとめ、パワーポイントを使って発表会を実施する。
・意見交換をおこなう。
・増田先生、園長や主任のアドバイスを受ける。

〈園内研修の効果〉

研修を通して、子どもたちの見方、アプローチ方法の幅が広がった

2017年に告示された新・保育所保育指針には、「保育の質」の向上がうたわれていました。園長として、職員の専門性を高める環境づくりに試行錯誤している時に感じたことが、「保育の仕事が楽しい」「子どもと一緒にいるとワクワクする」という経験ができる場を提供することが保育の質の向上につながるのではということでした。そんな時、増田先生との出会いがありました。

先生の指導のもとで園内研修を実施し、保育を「見える化」する中で、保育者は改めて自分たちの保育を見つめ直すことができました。そして、保育という仕事を生き生きと楽しんでいる姿が印象的な職員集団へと成長しています。

保育者自ら課題を見つけ、工夫し、学ぶように

子どものよりよい育ちにはどのようなアプローチが有効だろうかと考えながら保育に取り組むことで、保育者は子どもの変化に敏感になります。子どもの少しの変化でも保護者にていねいに伝えることで、保護者は保育者を信頼します。信頼されると保育者はうれしくなり、ますます熱心に保育に取り組みます。子どもと保育者と保護者みんなが螺旋のようにつながって成長していくイメージです。

保育者の保育に取り組む姿勢も大きく変わりました。自分から課題を見つけ、「こうしたら？」「ああしたら？」と様々なアプローチを工夫しています。わからないことがあった時も、園長や主任の助言を待つだけでなく、自ら研究論文や科学的なデータなどを調べるようになりました。

保育の質を向上させるには、何より保育者の学ぶ姿勢が大切。園内研修を始めて3年経ち、いまその効果を実感しています。

園長：目時寿美子

おわりに

この本を読んで、いかがだったでしょうか。保育実践のヒントが伝わったでしょうか。

保育者のみなさんは、どなたも子どものために一生懸命努力していることと思います。しかしながら、一人で実践を深めるより、同じ園の保育者同士で同じほうを向き切磋琢磨するほうが、より大きな力を発揮できます。この本の実践例から、そのことがわかっていただけたのではないかと思います。

園内研修を実施している園は、少ないように思います。それは、方法論がわからないからではないでしょうか。ぜひこの本を園内研修で使っていただければ幸いです。

私は、園内研修に関わることで、「保育に携わる人は、誰でもよい実践をしたいと考えていること」「よい実践を創り出し、その意味づけをおこなうことで、保育者の成長は加速度的に早まること」を知りました。

この本を読んでくださった保育者のみなさんも、すでに私たちの仲間です。子どもたちの幸せを実現するために、ともにがんばりましょう。

寒さを感じるようになった9月末の温かい日に

白梅学園大学
子ども学部子ども学科教授
増田　修治

［著者］

増田修治

白梅学園大学子ども学部子ども学科教授

埼玉大学教育学部卒業。28年間小学校教諭として勤務。「ユーモア詩」を用いた教育を実践。2008年より現職。教育開発プログラム修士。小学校教諭を目指す学生の指導と並行して、公立保育園や私立保育園との共同研究をおこなう。専門は、臨床教育学、教師教育論、教育実践論、学級経営論。著書は『笑って伸ばす子どもの力』(主婦の友社)、『小1プロブレム対策のための活動ハンドブック　増田メソッド』（日本標準)、『場面から読み取る子どもの発達』（中央法規)、『幼児期の終わりまでに育ってほしい10の姿を育む保育実践32』（黎明書房）など多数。

［協力］

社会福祉法人たけの子福祉会　第２府中保育園

「保育園の最大の利益は『子どもの幸福』であり、そのためには努力を惜しまない」をモットーに、地域に根ざした保育園づくりをめざしています。

園長：目時寿美子
主 任：犬飼真由美

市川一枝、松本淳子、岩下一世、時田二郎、舟崎幸子、二村美恵子、遠藤紀和、和田あかり、中泉さとみ、田場啓介、曽木未萌、八巻綾美、村田朋弥、関塚詠美、古田舞美、小野円香、佐藤光、湯本彩佳、髙橋明香、菊野紗弥、玉井夕希子、室樹里、渡辺由紀、大河原恵、本間綾乃、山本桂子、小澤彩子、中家幸子

[STAFF]

デザイン
ベラビスタスタジオ

イラスト
さかじりかずみ

編集
こんぺいとぷらねっと

仮説・実践・検証
思考する保育　実践例15
2020年10月20日　発行

著　増田修治
発行者　柴田豊幸
発行所　株式会社チャイルド社
〒167-0052 東京都杉並区南荻窪4-39-11
TEL：03-3333-5105
印刷・製本　カシヨ株式会社

ISBN978-4-925258-55-5　C2037

チャイルド社ホームページアドレス
http://www.child.co.jp/